D1037863

Comment gâcher votre vie

COMMENT GÂCHER VOTRE VIE
Édition originale publiée en en anglais par Hay House, Inc.,
Carlsbad, CA (É.-U.) sous le titre :
HOW TO RUIN YOUR LIFE
© 2002, Ben Stein
Tous droits réservés

© Édition française, 2004 ÉDITIONS DU TRÉSOR CACHÉ
Tous droits réservés. La reproduction d'un extrait quelconque
de ce livre, par quelque procédé que ce soit, tant électronique
que mécanique, en particulier par photocopie et par microfilm,
est interdite sans l'autorisation écrite de l'éditeur.

ÉDITIONS DU TRÉSOR CACHÉ
815, boul. St-René Ouest, local 3
Gatineau, (Québec) Canada
J8T 8M3
Tél. : (819) 561-1024
Téléc. : (819) 561-3340
Courriel : editions@tresorcache.com
Site web : www.tresorcache.com

Traduction : Marie-Andrée Gagnon
Infographie : Richard Ouellette Infographiste

Dépôt légal - 2004
Bibliothèque nationale du Québec
Bibliothèque nationale du Canada

ISBN : 2-922405-26-5

Imprimé au Canada

Diffusion :
Canada : Québec-Livres, Laval (Québec), (450) 687-1210
Europe : Diffusion Vander, Bruxelles (Belgique), (02) 761 12 12
          Librairie du Québec, Paris (France), 1 43 54 49 02
Europe (marchés spéciaux) :
          WMI Sarl, www.libreentreprise.com

Comment gâcher votre vie

votre vie

Ben Stein

ÉDITIONS
du trésor caché

À Alex, ma petite femme, qui m'a souvent évité de gâcher ma vie ; à notre fils, Tommy, que j'aime de tout mon cœur ; et à tous les bons chiens et chats.

Remerciements

Je tiens à remercier tous les gens dont le terrible exemple m'a montré les voies à éviter et a fait de la rédaction du présent livre un jeu d'enfant ; de même que mon père et ma mère ; ma femme, Alex ; mon meilleur ami, Al Burton ; mes chers copains dont je ne saurais me passer Phil DeMuth, Paul Hyman, feu Garth Wood (puisse son âme reposer en paix), Sid Dauman, Wlady Pleszcynzski, John Coyne, Aram Bakshian, Julie et David Eisenhower, Larry Lissitzyn, Arthur Best, Susan Sgarlat, Bob Tyrrell, Marcia Hurwitz, Norman Lear, Andrew Golder, Debbie Liebling, Jimmy Kimmel, Meredith Fox, Sal Iacono, Yaniv Malka, et Susie Pannenbacker, et d'autres qui m'on appris à quitter la route qui mène au désastre non pas une seule fois, mais de nombreuses fois ; et je remercie plus particulièrement les hommes et les femmes de Point Dume, Malibu ; et pour terminer, Pat Davis, qui m'a enseigné à vivre le moment présent.

Introduction

En quoi l'échec est profitable

Comme l'a dit John F. Kennedy : « La réussite a une centaine de pères. L'échec est orphelin. » Je crois qu'il a dit cela en parlant de l'échec de l'invasion de Cuba dans la Baie des Cochons en 1961, mais cette remarque s'applique certainement aussi aux manuels et aux articles pratiques. Dans toute librairie se trouvent des dizaines de titres portant sur la réussite, dont plusieurs donnent les mêmes conseils, simplement en caractères d'imprimerie différents.

Il est plutôt évident pour les adeptes des librairies qu'il n'y a pas beaucoup de livres et d'articles qui portent sur les moyens d'échouer. Pourtant, comme tous les parents le savent, il est possible d'en apprendre autant en étudiant les gens qui ont échoué que ceux qui ont réussi. En fait, l'échec constitue souvent une carte routière virtuelle visant la réussite – mais à l'envers. Tracez le chemin vers la pauvreté, la solitude, l'obscurité et le désespoir... puis, dirigez-vous en sens inverse... et vous pourrez aboutir au mieux-être, en bonne compagnie, à une excellente réputation et à une grande assurance.

De plus, j'ai trouvé fascinant de constater que ceux qui réussissent empruntent toutes sortes de chemins différents pour triompher (certains aussi simples que la chance et l'héritage), mais que les perdants ont beaucoup en commun. Les familles malheureuses qui sont passées à côté des bonnes choses de la vie sont toutes pareilles, si on peut dire, pour reprendre le célèbre énoncé de Tolstoï en le modifiant. Si vous parvenez à éviter les voies et les moyens que les perdants empruntent pour gâcher leur vie, il se peut que vous ne connaissiez pas nécessairement une réussite éclatante, mais vous éviterez assurément l'échec – du moins un échec pitoyable qu'on s'inflige à soi-même. Si vous arrivez à échapper à la gravité obsessionnelle étouffante de l'autodestruction et à ses nombreux tentacules, c'est que vous êtes bien engagé sur la voie de la réussite.

Il est possible que vous vous demandiez en quoi j'ai la compétence requise pour écrire le présent livre, et vous le devriez. C'est surtout parce que je suis, de par ma nature, un touriste partout où je vais, en particulier dans ma ville, et que je consacre une grande partie de mon temps et de mon énergie à analyser ce que j'observe. J'ai suivi intentionnellement l'échec depuis l'école primaire (et peut-être même avant). Ayant reçu de ma mère, autoritaire mais aimante, l'ordre de ne pas me permettre de devenir un perdant, j'ai tenté de remarquer ce que les perdants faisaient en classe d'algèbre, au gymnase, lors de rendez-vous romantiques, au travail, au jeu – partout où j'allais. Par ailleurs, il existe des femmes et des hommes plus courageux que moi ; des plus beaux ; et d'autres qui sont plus intelligents et plus forts. Mais peu d'entre eux ont réalisé autant de projets différents et ont évolué dans autant de domaines différents que moi. En cela, j'ai eu le privilège d'observer l'échec dans la Ivy League (les huit grandes universités privées du nord-est des États-Unis), dans le milieu du droit, dans le monde des finances, à la Maison Blanche (et, aïe, quel échec !), dans des cercles d'Hollywood, à l'Académie – à peu près partout.

Comme je l'ai mentionné auparavant, je remarque une grande similitude entre ces échecs et dans ce qui mène à l'échec. Et c'est cette combinaison d'expériences et de pratique analytique qui me rend apte à écrire le présent livre – et qui vous encouragera peut-être même à le lire.

Mais quoi qu'il en soit, laissons parler de lui-même le conseil qui est donné ici. Si vous ne trouvez pas la matière irrésistible, vous n'avez qu'à renoncer à lire le livre. (Cela vous aidera également à réussir à devenir un perdant.)

Pourquoi, soit dit en passant, y a-t-il 35 étapes ? Eh bien, pourquoi pas ? C'est le nombre auquel j'en suis venu pour désigner les grandes catégories (comme les relations, l'argent, la famille, et ainsi de suite). J'aurais pu y inclure des catégories secondaires comme « Faites-vous percer le nez », mais ce serait une toute autre histoire. J'aurais aussi bien pu y inclure une de valeur authentique comme « Portez du marron lorsqu'on s'attend à ce que vous portiez du gris ou du marine », mais celle-ci entre également dans d'autres catégories plus larges.

Si vous n'avez pas trouvé assez de moyens de gâcher votre vie d'ici la fin du présent livre, c'est que vous n'en avez jamais eu besoin en premier lieu. Vous êtes simplement né en sachant comment devenir un perdant.

Donc, sans plus de cérémonie, je vous offre, avec la pleine assurance que vous ne reconnaîtrez dans ces potins rien qui vous ressemble ou qui ressemble à une de vos connaissances (ouais, c'est ça), quelques conseils sur l'art de gâcher sa vie, et peut-être sur l'art de ne pas la gâcher.

Suivez les règles qui y sont données, et ce sera la catastrophe assurée. Dérogez-y, et vous vous retrouverez sur l'autoroute de la réalisation de soi et de la réussite.

Comment
gâcher
votre vie

1

N'acquérez aucune compétence
utile

Rendez-vous inutile. Ne pratiquez aucune
bonne habitude d'étude. Ne vous donnez pas la
peine d'en apprendre sur l'histoire, les langues
ou les mathématiques. N'acquérez aucune compétence poussée en droit, en architecture, en
médecine ou en électrotechnique. Quand d'autres sacrifient leurs loisirs au profit de l'étude et
des cours, contentez-vous de rire d'eux et restez
au lit à regarder de vieux films. (En fait, l'attitude qui pousse en général à ridiculiser tout
effort sincère de votre part ou de la part de
quelqu'un d'autre constitue également un moyen
important de gâcher votre vie, mais je re-
viendrai sur le sujet plus tard.) Tandis que les
autres apprennent à faire au monde une con-
tribution d'une valeur réelle en guérissant des
maladies, en fabriquant des bougies, en ap-
pliquant du maquillage, en coupant les cheveux

ou en faisant des inventaires, ne prenez pas la peine d'apprendre quoi que ce soit de moindrement spécialisé ou utile.

Oui, il est vrai que d'innombrables expériences et données nous indiquent que l'instruction et les compétences nous garantissent une vie heureuse et à l'abri du besoin. Mais rien de tout ça ne s'applique à *vous*. Plusieurs disent que d'autres auront une vie plus belle et meilleure s'ils acquièrent une compétence, s'ils apprennent un métier ou s'ils obtiennent un diplôme universitaire. Encore une fois, rien de tout ça n'a d'importance en ce qui vous concerne. Vous aurez toutes les belles choses de la vie de toute manière. Vous êtes spécial, en tout point unique. Ne comptez que sur votre bel esprit et votre beauté. Vous êtes un affairiste.

Après tout, quelle instruction Rhett Butler a-t-il reçue ? Et Elvis Presley ? Je n'ai pas vu Madonna faire d'études supérieures, pas plus que P. Diddy (ou quel que soit le pseudonyme qu'il emploie actuellement). Et pourtant, voyez jusqu'où ils sont allés dans la vie. Avec de la chance et une fortune qui vous tombera du ciel, vous en ferez au moins autant. Suivez l'exemple sur la manière de gâcher sa vie de celui ou de celle qui, parmi des millions, a réussi *sans* acquérir de compétences… au lieu des 90 pour cent qui réussissent *avec* des compétences.

Vous êtes né en sachant tout ce que vous devez savoir, ne l'oubliez jamais. Évitez d'acquérir le type d'instruction qui sort vraiment de l'ordinaire. Vous n'êtes pas ordinaire. Vous êtes spécial, et je vais vous le répéter jusqu'à ce que vous le compreniez. Il est essentiel que vous compreniez que votre caractère unique vous permettra de traverser toutes les crises. Vous vous en sortirez simplement en étant *vous-même*. La formation est le propre des masses, et non celui d'une personne de grande classe comme vous. Vous êtes destiné à devenir riche et célèbre, et vous n'avez pas à faire une seule chose de plus que ce que vous faites déjà pour y arriver. Vous n'avez qu'à croiser les bras en étant la personne toute formidable et adorable que vous êtes.

2

N'acquérez aucune autodiscipline

Faites le rustre. Après tout, vous n'êtes pas à West Point ou dans un camp d'entraînement ! Vous êtes un type relax et décontracté. Vous méritez tout le repos qui s'offre à vous. Vous avez besoin de votre roupillon. Vous avez besoin de regarder le film qui se déroule à l'intérieur de vos paupières. Et ne vous sentez surtout pas coupable d'être sous les couvertures, tandis que tout le monde est parti travailler. C'est pas votre faute si ce sont des perdants à la mentalité de fonctionnaire. Restez donc au pieu, et ne vous levez que lorsque vous en aurez envie. Une fois que vous vous serez levé, veillez autant que vous le voudrez. Il y a beaucoup de bons vieux films à la télé. Sans parler des merveilleuses émissions en rappel *Les feux de l'amour* et *Les Simpson*. Il n'y a rien que vous puissiez faire au cours de la journée qui puisse être aussi fructueux que de regarder Bart tirer Homer pour la millionième fois. C'est du grand art, non ? Et vous êtes un vrai oiseau de nuit, alors à quoi bon aller au plumard avant 3 h du matin ?

Et ne pensez pas au matin, parce que vous ne serez pas debout pour le voir de toute manière. La matinée, c'est pour les fermiers, et je ne crois pas qu'un type super comme vous va devoir sortir nettoyer les stalles. N'ai-je pas raison ?

Mangez tout ce que vous voulez aussi. Hé, vous paraissez super bien, peu importe votre poids. Vous êtes simplement né séduisant. Si vous pesez une centaine de kilos de plus que les squelettes des revues de mode, c'est leur problème. Ce sont des anorexiques. De toute façon, vous êtes très préoccupé, et ça vous fait du bien de manger. Alors, mangez ce que vous voulez quand vous le voulez. Vous en avez le droit ! Notre pays est un miracle de production agricole, et ce serait insultant pour nos fermiers de lever le nez sur leurs steaks, leurs fromages et leurs laits frappés. De plus, quand vous n'avez rien de mieux à faire, pourquoi ne pas faire un petit tour au frigo pour manger un morceau ? Après tout, qui vous verra ? On ne vit pas dans un foutu régime policier, n'est-ce pas ? Mangez donc le reste du gâteau ou de la tarte aux pommes, et finissez-en.

Voici maintenant quelque chose de très important : *Ne vous obligez pas à travailler quand vous préféreriez jouer.* En fait, ne travaillez pas du tout si vous n'en avez pas envie. La vie est courte. Pourquoi en passeriez-vous même une seule seconde à faire une foutue chose que vous ne voulez pas faire ? Hé, peut-être qu'ils l'ignorent, mais il y a bel et bien un 13e amendement à la Constitution qui interdit l'esclavage ! Si vous deviez vraiment travailler, pourquoi alors se seraient-ils donné la peine de faire la Guerre de Sécession ? À quoi a-t-il servi que Lincoln se fasse assassiner, s'il vous faut transpirer et peiner ? Oubliez tout ça. Vous n'avez pas à faire quoi que ce soit que vous ne voulez pas faire. Vous valez mieux que ça. En fait, vous valez mieux que tout et tous sur terre. Vous avez le droit de refuser de faire quelque tâche que ce soit que vous n'avez pas envie de faire. D'une manière ou d'une autre, l'argent s'offrira à vous simplement parce que c'est ce que vous souhaitez, que vous travailliez ou non.

Ne vous donnez pas la peine d'acquérir la moindre discipline dans quoi que ce soit, et vous serez vraiment heureux et fier de vous ! Vous êtes un gros poupon, et tout le monde vous adorera toujours pour ça, même quand vous grisonnerez, prendrez du ventre et atteindrez l'âge moyen.

3

Convainquez-vous que vous êtes le centre du monde

Regardons les choses en face : Vous êtes le seul à compter en toute situation. La vérité – et permettez-moi d'être le premier à vous la dire –, c'est que Dieu est parti en vacances et vous a confié la direction ! À quoi bon tenir compte du fait que votre femme veut que vous nettoyiez le garage ? Pourquoi devriez-vous même écouter votre mari lorsqu'il vous dit qu'il aimerait avoir un repas maison pour la première fois depuis un an ? Et pourquoi vous soucier de ce que vos parents vous reprochent de n'avoir fait aucune corvée domestique depuis un mois ? Si votre camarade de chambre vous dit que vos chaussettes sont si sales que leur odeur l'empêche de dormir la nuit, pourquoi vous en préoccuper ? *On s'en moque !* Vous êtes le seul à compter !

Pourquoi écouter qui que ce soit vous raconter ses problèmes ? Vos ennuis sont les seuls à faire la différence. Si le parent de quelqu'un est malade, eh bien, c'est son affaire. Si le gars qui vous a aidé à vous préparer à votre examen de maths veut que vous l'aidiez maintenant à laver sa camionnette, c'est bien dommage pour ce perdant. Passez simplement votre chemin, mais attendez-vous à ce que les gens vous écoutent et fassent ce que vous voulez lorsque vous le voulez.

Qu'est-ce que ça peut faire si, après un certain temps, personne ne veut plus vous adresser la parole ? Ça prouvera seulement que ce sont bel et bien des salauds. De toute manière, un dieu en chair et en os a-t-il besoin que quelqu'un converse avec lui ? Je ne crois pas, et vous ? Là où *vous* voulez manger, là où *vous* voulez aller en vacances, là où *vous* voulez vivre – voilà tout ce qui compte. Le monde entier doit se rentrer ça dans la tête. Vous passez en premier, et il n'y aura aucune paix nulle part tant qu'il restera une seule personne qui l'ignorera.

Voyez les choses comme ceci. Imaginez que Moïse revienne sur la terre avec un 11e commandement tout particulier, à savoir que vous serez le patron pour les cent prochaines années. Puis, Moïse vous serre la main et vous cède sa crosse à la télé devant le monde entier. C'est ainsi que vous devez concevoir votre destin. Agissez en conséquence minute après minute.

4

Ne vous reconnaissez jamais responsable de ce qui tourne mal

Jouez le jeu du blâme. C'est toujours la faute d'un autre, sinon ce n'est qu'un coup de malchance. Vous avez échoué votre cours d'algèbre ? De toute évidence, vous aviez un mauvais professeur. Les autres ados l'ont réussi ? Ce n'étaient que des lèche-bottes. Le policier vous a collé une contravention pour conduite dangereuse ? Hé, vous en aviez jusqu'au cou ce jour-là, *et* vous vous étiez couché tard la veille. Vous avez perdu votre emploi parce que vous n'étiez pas arrivé au travail à l'heure pendant une semaine ? Ma foi, mais qui pourrait faire tant d'heures de toute manière ?

Peu importe de quoi il s'agit, vous ne vouliez pas mal faire ; quoi qu'il en soit, c'est pénible d'avoir à écouter quelqu'un râler contre soi. (Les pharaons étaient-ils tenus d'écouter les griefs de qui que ce soit contre eux ? Et

Allah ? Ou Bouddha ? Alors pourquoi le devriez-vous ?) Au fond, vous n'êtes pas responsable de faire quoi que ce soit correctement, et si les choses ne se déroulent pas bien, c'est le problème de quelqu'un d'autre. Votre mère ne vous a pas élevé dans le but de vous faire crier après. Il existe une règle toute simple ici-bas : Si les choses se passent mal, tant pis pour l'autre, et vous n'avez pas à en entendre parler.

Le monde devrait le savoir maintenant : Il n'y a rien de drôle dans le fait de se faire critiquer, ce qui signifie que ce n'est pas drôle pour *vous* de l'être. Vous avez la liberté, et même la responsabilité, d'insulter les autres et de rejeter le blâme sur eux. Mais à titre de délégué officiel du Tout-Puissant ayant pour tâche de lui servir d'Adjoint ici-bas, vous êtes évidemment au-dessus de tout ça. C'est bien clair, n'est-ce pas ? O.K., assez dit. Vous ne méritez pas d'avoir à supporter quoi que ce soit – contrairement aux autres. (Oh, soit dit en passant, attribuez-vous toujours le mérite de toute bonne chose, et niez toujours la responsabilité de ce qui cloche… mais ça, vous le saviez déjà, n'est-ce pas ?)

5

🌀 🌀 🌀 🌀 🌀 🌀

Critiquez d'emblée, et souvent

Veillez toujours à être le critique caustique de service. Regardons les choses en face : Il n'y a pas assez de gens qui se plaignent dans ce bas monde. Il y a trop de gaieté et de frivolité à la Walt Disney. Trop de gens se contentent de sourire et de laisser aller les choses. N'abondez pas dans leur sens. Il y a toujours à redire *de tout et de chacun*, si on y regarde d'assez près, et pour l'amour du ciel, vous devez vous faire un point d'honneur d'être le premier à le découvrir et de pester le plus fort.

Prenons quelques exemples faciles : Votre femme paraît peut-être très bien le matin de son premier jour de travail, mais n'y aurait-il pas un cheveu de travers dans sa coiffure ? Alors, faites-lui savoir qu'elle pourrait encore améliorer son apparence. Ne lui permettez pas de s'en tirer à meilleur compte que la perfection. Et peut-être a-t-elle pris un peu de poids. Faites-lui savoir que vous avez remarqué ce kilo de plus. Prenez soin de tout souligner. Après tout, vous vous montrez simplement constructif.

Votre mari à passé la majeure partie de son samedi à tondre la pelouse ? C'est bien, mais pourquoi ne pas mettre de nouvelles plantes dans le jardin pour lui donner de la couleur ? Faites-lui-en le reproche – pourquoi devrait-il avoir la moindre chance de se détendre ? Envoyez-le travailler dehors, tandis que vous vous prélassez devant la télé. Votre fils s'est bien débrouillé lors de son dernier match de foot ? O.K., mais il a raté deux buts qui vous auraient semblé faciles à marquer. Pourquoi lui ficheriez-vous la paix ? Pourquoi la ficheriez-vous à *qui que ce soit* ? Votre fille réussit bien en gymnastique ? Eh bien, si elle est si bonne, pourquoi n'a-t-elle pas remporté la médaille d'or à sa dernière compétition ? Elle a dû se gourer quelque part. Alors, faites-lui savoir que rien n'échappe à votre attention, et critiquez-la jusqu'à ce qu'elle en pleure de frustration. Ça devrait la pousser à faire mieux la prochaine fois.

À quoi vous servirait-il d'être le meilleur observateur et critique du monde si vous en veniez à gaspiller tous vos talents particuliers en laissant les gens se relâcher ?

Évitez de critiquer, et vous gâterez la femme (le mari ou l'enfant, ou l'employé, ou l'ami, ou quiconque). Tous doivent savoir qu'ils sont loin de la perfection. Ils ne peuvent pas simplement vivre comme des insouciants et penser qu'ils se tirent bien d'affaire. Ils ont besoin d'aide – aussi assurément que vous n'en avez *pas* besoin.

C'est vous qui êtes important, et parfait, et les gens doivent prêter attention à ce que vous dites. Le monde est un endroit merdique de toute manière, non ? En faisant de toute situation la cible de critiques cinglantes, vous veillerez à ce que nul n'ignore que vous êtes aux commandes – et qu'ils doivent tous s'estimer heureux que ce soit le cas !

6

Ne vous montrez jamais reconnaissant

Et je dis bien jamais ! Pourquoi le devriez-vous ? Songez-y une minute : Vous habitez le pays le plus riche, le plus libre et le plus beau du monde. Bien entendu, vous possédez une voiture extraordinaire munie d'un climatiseur, de même qu'une maison où il fait bon vivre, mais il y a encore tant d'autres choses pour lesquelles être en colère. En effet, Bill Gates n'est-il pas plus riche que vous ? Ashley Judd n'est-elle pas plus belle que vous ? Britney Spears n'est-elle pas plus célèbre que vous ? Tiger Woods n'est-il pas meilleur golfeur que vous ? Alors de quoi devriez-vous être reconnaissant ? Il y a tant de raisons d'éprouver de l'amertume.

Il est vrai que beaucoup de sentimentaux naïfs sont peut-être reconnaissants pour de petites faveurs, mais vous êtes de la trempe des réalistes à la tête froide. Vous voyez bien que toute notre société se dirige tout droit vers la catastrophe.

Quelques exemples suffiront à me donner raison : Que dire de la musique d'aujourd'hui ? Elle est horrible, et gâte de toute évidence le cerveau de nos jeunes. Que dire de la tenue vestimentaire indécente de nos ados ? Oui, elle plaît peut-être aux jeunes, mais ce qui importe au fond n'est-ce pas l'effet qu'elle produit sur *vous* ? Et si elle *vous* déplaît, pourquoi en seriez-vous reconnaissant ? (Et tandis que nous y sommes, veillez à toujours penser de la sorte : Quel effet les choses produisent-elles sur *vous* ? Rien ni personne d'autre ne compte.) Vous vous rappelez la caissière de l'épicerie ? Eh bien, elle a presque gâché votre matinée par son « Bonne journée ! » idiot. Il est impossible de se montrer reconnaissant en présence de comportements aussi révoltants.

Que dire de l'environnement ? Oui, peut-être est-il acceptable là où vous vivez, mais qu'en est-il des forêts nationales de l'ouest du pays ? Il y a la sécheresse, et les incendies prolifèrent ! Et ici même à la maison, la cuisine de votre femme ou les rénovations de votre mari manquent-elles de savoir-faire ? Et comment ! Y'a pas de quoi être reconnaissant quand on souffre comme ça. On a plein de raisons de râler.

Et de grâce, n'oubliez pas de vous montrer ingrat envers vos parents. Qu'ont-ils même déjà fait pour vous? Bien sûr, ils se sont privés de sommeil bien des nuits pour vous pendant des années. O.K., peut-être se sont-ils levés tôt même s'ils n'en avaient pas envie pour vous conduire à l'école à l'heure. Et puis, oui, il se peut qu'ils aient fait des heures supplémentaires ou tenu deux emplois à la fois pour vous payer la voiture ou la colonie de vacances que vous vouliez. Mais ils vous le *devaient* bien. Vous étiez leur enfant. Ça aurait dû être un plaisir et un privilège pour eux de faire ces sacrifices pour vous. Mais bien sûr, vous n'avez pas le sentiment aujourd'hui que c'est un plaisir et un privilège pour vous de vous lever à 6 h pour envoyer votre propre enfant à l'école. *Mais voilà toute la question, mon ami! Vous êtes spécial et différent, et les gens ont envers vous une dette que vous n'avez envers personne.*

Alors, accordez-vous donc une grande faveur: Ne permettez pas à la gratitude de vous passer même par l'esprit. Le monde ne s'est pas encore entièrement incliné devant votre perfection, ce monde qui est lui-même bien loin encore de la perfection, alors de quoi ici-bas seriez-vous reconnaissant? Si vous commencez à ressentir de la gratitude – ne serait-ce qu'un tant soit peu – c'est que vous êtes faible, donc, oubliez ça.

7

Sachez que vous êtes la source de toute sagesse

Pour tourner rondement, le monde a besoin de vos conseils – non seulement de vos critiques, mais encore de votre direction. Avez-vous remarqué le gâchis dans lequel la société se trouve ? Un terrorisme horrifiant au pays et à l'étranger. Cela ne se serait jamais produit si *vous* aviez été à la tête du FBI ou de la CIA, ou s'ils s'étaient donné la peine de vous appeler tous les jours pour recevoir de vous une parole de sagesse. Le conflit au Moyen-Orient ? Vous pourriez facilement y mettre un terme si seulement Messieurs Arafat et Sharon *vous* demandaient ce qu'ils devraient faire dans la bande de Gaza et à Tel Aviv. La famine en Afrique ? Vous avez la solution toute prête. Mais est-ce que les imbéciles *vous* ont même consulté ? Non, ils ne l'ont pas fait. La criminalité dans les rues ? La propagation galopante du virus du sida ? La rancœur religieuse ?

Le tumulte sur les marchés boursiers et les fraudes financières qui se multiplient ? Pourquoi ? Parce que le monde n'obtient pas assez de *vos* conseils ! Vous en savez plus que quiconque sur les finances, le contre-terrorisme, la paix entre gens de religions différentes et de même religion, et le contrôle des maladies infectieuses.

Oui, j'ai déjà mentionné la critique, mais il s'agit ici de quelque chose de différent. Il s'agit de conseils – pas simplement d'un « non », mais d'offrir des tuyaux. Le monde est en pagaille parce que trop de choses se passent sans qu'on vous consulte et qu'on prenne ses ordres de vous.

Et les choses empirent au sein même de votre cercle. Un ami est en instance de divorce ; un autre est en train de prendre du poids. Un autre encore vient de perdre son emploi et risque de perdre aussi sa maison. Et l'enfant d'un autre n'arrive pas à faire ses devoirs. Pourquoi ? Eh bien, il y a de nombreuses raisons à ça (surtout parce que, s'ils ne sont pas vous, ce sont des *perdants* !), mais il n'existe qu'un seul remède sûr : Vous consulter et se faire conseiller par *vous*. Vous sauriez parfaitement résoudre chacun de ces dilemmes en un clin d'œil.

Mais pourquoi ne vous consultent-ils donc pas ? Parce qu'ils sont jaloux et ne sont pas aussi intelligents que vous. Toutefois, ce n'est pas parce qu'ils ne vous consultent pas que vous ne devriez pas leur offrir vos conseils non sollicités. En fait, pour vous montrer généreux en la matière, vous devriez vraiment insister pour qu'ils tiennent compte de vos paroles de sagesse sur-le-champ, et qu'ils prennent des notes tant qu'à y être. *Vous* sauriez sauver ce mariage. *Vous* sauriez faire retrouver son emploi à ce pauvre type, et vous sauriez certainement faire de cet enfant un premier de classe.

Et si vos voisins n'ont pas la foutue présence d'esprit de vous consulter, vous devez les confronter et leur faire savoir ce qui est le mieux pour eux. Ne permettez pas à la moindre imperfection dans votre propre vie de vous freiner ne serait-ce qu'une seule minute quand il s'agit de donner votre avis. L'histoire, c'est que les gens doivent apprendre à faire ce que vous dites, et non ce que vous faites. Il est de votre devoir, en tant que dieu sur terre, de veiller à ce que tout le monde profite de votre expérience dans tous les domaines. Surtout, ne l'oubliez pas. Et lorsque vous prodiguez des conseils, ne vous montrez pas avare. Allez jusque dans les moindres détails, et assurez-vous qu'ils ont bien compris en vous répétant à maintes reprises.

8

Enviez tout ; n'appréciez rien

Enviez tout le monde. Par exemple, la pelouse de votre voisin est plus belle que la vôtre. Oubliez la possibilité qu'il en soit ainsi parce qu'il a mis plus de cœur que vous à la soigner, à l'arroser et à la fertiliser. La logique n'a rien à voir dans l'histoire. Le simple fait que sa pelouse soit d'un vert émeraude justifie votre jalousie. Votre autre voisin possède une Jaguar, alors que vous avez une vieille Renault. Peu importe qu'il ait travaillé de longues heures et qu'il ait obtenu un deuxième diplôme en suivant des cours du soir afin de décrocher un meilleur emploi. Le fait est qu'il a une meilleure voiture que la vôtre. Il s'agit en soi d'une raison suffisante pour l'envier. Ou que dire du type qui s'assoit à côté de vous au bar ? Il a une belle et jeune petite amie, alors que vous avez remarqué (et fait remarquer !) que votre femme est en train de se laisser un peu aller. Peu importe que votre femme soit la personne la plus fidèle au monde. Peu importe combien elle a pu se montrer dévouée et gentille envers vous au cours des décennies. Oubliez tout ça. En fait, oubliez tout ce qu'il y a de bon dans votre vie. *Ne vous concentrez que sur ce que vous n'avez pas et que d'autres ont.*

Le fils de madame Unetelle a été admis à Harvard. Et puis quoi si elle a travaillé avec lui pendant des heures pour qu'il réussisse ses travaux scolaires et ses activités périscolaires tandis que vous fainéantiez. Le jeune est tout de même entré à Harvard, alors que les vôtres devront s'estimer heureux s'ils obtiennent leur diplôme du lycée. Une foule de raisons d'être envieux. Surtout que, comme nous le savons, si quelqu'un n'est pas vous, c'est un perdant par définition.

La femme d'un tel a une plus belle silhouette que la vôtre. Bien sûr, elle est également toujours de mauvaise humeur parce qu'elle est à la diète et elle n'a jamais rien de gentil à dire, mais elle est *vraiment* bien roulée, alors il y a de quoi vous sentir encore plus envieux. Le mari d'une telle a un emploi plus lucratif que celui de votre mari. Hé, en y pensant bien, quand on commence, il y a presque tout à jalouser et presque rien dont être satisfait. Vous n'avez qu'à poursuivre votre chemin vers l'envie et vous n'en reviendrez jamais. Vous deviendrez simplement de plus en plus envieux, jusqu'à ce que vous disparaissiez consumé par votre propre jalousie.

L'envie est le poison parfait. Prise régulièrement tout au long de la journée, elle a le pouvoir de gâcher tout ce qui se passe de bon dans votre vie. Par conséquent... n'oubliez pas d'en prendre une bonne dose à chaque instant ! Elle réussira à changer une journée ensoleillée en une nuageuse, et à vous faire mijoter dans votre jus même lorsque vous êtes calme. C'est en quelque sorte le moyen ultime de veiller à ce que tout votre entourage et vous-même soyez branchés sur la haute tension en tout temps. Je crois que, si je devais vous dire quel est le moyen le plus sûr de mettre des bâtons dans les roues de tous ceux qui vous entourent, je vous recommanderais de vous donner corps et âme à l'envie. En fait, si vous avez en vous suffisamment d'envie, vous n'aurez pas même besoin de poison.

9

Agissez en perfectionniste

Dans votre vie, tout et tous doivent être parfaits. Ne soyez jamais satisfait de vous-même ou de qui que ce soit, à moins que ce que vous faites soit impeccable. Ne vous contentez pas de bien faire les choses ; torturez-vous jusqu'à ce qu'elles soient parfaites, et faites-en autant avec les gens de votre entourage. En fait, gardez présente à l'esprit l'injonction puissante selon laquelle *tout* ce que vous faites doit être parfait. Et vous serez alors paralysé par l'inaction à tel point que vous ne ferez rien du tout, de crainte de ne pas atteindre la perfection.

Par exemple, votre mari vous suggère d'apprendre à jardiner, afin de pouvoir enjoliver votre terrain. Bien sûr, ce ne serait peut-être pas une mauvaise idée (même si vous ne devez jamais oublier que *vous* êtes seule à vraiment avoir de bonnes idées, et personne d'autre). Mais vos roses pourront-elles jamais se mesurer à celles des jardins de Versailles, ou de ceux de la Maison Blanche ? Probablement pas. Alors pourquoi donc se donner la peine de tenter le coup ? Ou peut-être pensez-vous que vous devriez écrire une lettre de condoléances à quelqu'un qui vient de perdre un parent. Eh bien, pour commencer, le monde tourne autour de *vous*, et de personne d'autre. Puis, et cela est très important, il se peut que votre lettre ne soit pas aussi bien que celle que Molière aurait écrite. Alors pourquoi donc en écrire une ?

Voici une véritable perle. Dites-vous avant d'acheter un ordinateur que vous devez absolument vous procurer ce qu'il y a de mieux sur l'Internet – et regardez bien, vous finirez par ne rien acheter du tout. Si vous voulez acheter une voiture neuve, vous devrez faire l'affaire du siècle – sans quoi rien ne sert de faire le chèque. Si vous avez l'intention de rédiger une dissertation, il faudra veiller à ce que ce soit la meilleure de toute l'histoire de votre université. Mais vous savez que ce ne sera pas le cas, alors pourquoi ne pas tout simplement mettre une croix là-dessus ?

Vous voyez l'idée, petit génie ! Si vous menez votre vie exactement ainsi, vous en viendrez rapidement à ne plus rien faire, à moins que ce ne soit à la perfection, et puisqu'il se peut que ce ne soit pas le cas en bout de ligne, eh bien… en moins de deux vous opterez tout simplement encore pour l'inaction.

10

Voyez les choses trop en grand

Fixez-vous des objectifs si ambitieux qu'ils seront impossibles à atteindre. Ne vous contentez pas d'enseigner à votre fils à pêcher à la ligne par un dimanche matin ensoleillé. Retirez-vous plutôt à l'écart afin de planifier la création d'une entreprise dans votre garage qui deviendra plus grande que Microsoft. Puis, faites la sieste. Ou prenez un verre.

Voici une autre idée : Au lieu de simplement savourer la brise de l'après-midi en aidant votre mari à ratisser les feuilles sur la pelouse, lisez des articles de revues financières portant sur des gens qui sont devenus milliardaires en vendant des T-shirts, en se servant de leur voiture comme boutique. Puis, anticipez de devenir plus important et plus riche qu'eux, et oubliez complètement de jouir de l'instant agréable qui passe. Ne vous contentez pas de faire simplement ce qui se trouve devant vous, comme le travail au bureau, vos courses ou vos travaux scolaires. Non, c'est bien trop peu de chose pour vous. Vous êtes de la trempe des champions, un conquérant. Les petites réalisations et les petits plaisirs de la vie sont bien trop insignifiants pour vous. Lorsque vous pensez à une tâche, rendez-la si élaborée et si complexe qu'elle ne s'accomplira jamais.

Et cela nous conduit directement au prochain conseil…

11

Ne jouissez pas des choses simples de la vie

Faites fi des petits plaisirs de la vie. Ne prenez aucun plaisir au sourire d'un enfant. Ne jouissez pas d'un coucher de soleil. Ne tirez aucune joie d'un repas simple, mais bien cuisiné. Pour vous, les choses doivent être élaborées, complexes et inexplicablement extraordinaires pour qu'elles aient du sens. Alors, ne faites aucun cas du sourire amical d'un commis ou de la petite tape dans le dos d'un ami. Recherchez les trucs importants. Et s'ils vous échappent, sentez-vous misérable du fait que le monde a trahi son seul dieu... encore une fois.

12

Mettez la vie de tout le monde en ordre à tout instant

En voici une importante, alors prenez-en bonne note :

Entrez en relation avec des gens qui ont beaucoup de problèmes, et croyez de tout cœur que vous pouvez *les changer*. Oui, il s'agit peut-être du conseil suprême, alors de grâce ne l'oubliez pas : *Croyez de tout cœur pouvoir faire l'impossible – changer les gens et mettre de l'ordre dans leur vie.*

Épousez le type qui ne sait pas garder un emploi, et qui boit trop jour et nuit. Puis, dites-lui soudainement que vous voulez qu'il reste sobre, qu'il se trouve un bon boulot et qu'il le garde. Harcelez-le, jetez sa liqueur aux ordures et mettez-vous à pleurer lorsqu'il va dans un bar. En moins de deux, vous le rendrez complètement sobre. Ouais, juste pour vous, il fera ce qu'aucun homme n'a jamais fait auparavant

– rester sobre à cause du harcèlement d'une femme.

Ou encore, emménagez avec la femme qui a brisé tous les cœurs qu'elle a su toucher par son infidélité. Dites-lui que vous vous attendez à ce qu'elle vous soit parfaitement fidèle, et pour vous, elle marchera sur le droit chemin. Si vous la prenez en faute, piquez une bonne colère et jetez peut-être ses meilleurs CD – à l'avenir, elle ronronnera comme un chaton pour vous seul.

Oui, vous entendrez dire encore et toujours qu'on ne peut changer les gens, mais ça ne s'applique pas à vous ! Vous seul serez le tout premier être humain qui parviendra à faire plier les autres à vos désirs. Vous pouvez réussir là où tous les autres ont échoué. Il se peut que le caractère humain soit entièrement immuable pour la plupart des gens – mais pas pour vous ! Et ne renoncez pas à y arriver avant d'avoir vraiment réussi à apporter ce changement. Il n'est qu'à un jet de pierre. Votre fameux employé qui fait semblant d'être malade et qui reste assis toute la journée à gaspiller l'argent de la société, vous savez ? Bien sûr qu'il changera. L'associé qui ment comme il respire et qui se sert à même le tiroir-caisse ? Parlez simplement mais fermement, et vous obtiendrez les changements que vous souhaitez et que vous méritez.

On croyait auparavant que des années de lavage de cerveau dans un camp de torture nord-coréen avec usage de drogues psychodysleptiques constituaient le seul moyen d'amener quelqu'un à changer, et encore, pas pour très longtemps. Mais dans votre cas, tout est différent.

Les gens changent vraiment – *mais seulement pour vous.*

13

Maltraitez les gens qui sont bons envers vous

Et puis quoi s'ils sont bons envers vous ? Ce sont vos chiffes molles – ils n'existent que dans le but de se faire piétiner par vous. Ils n'ont rien à vous dire qui puisse valoir la peine que vous l'entendiez. Au fond, ce sont vos serviteurs. Non, vos esclaves. Et ils seront toujours bons envers vous parce qu'ils sentent que vous leur êtes supérieur – et ils ont bien raison. Ils savent que vous êtes un dieu, et qu'ils ne sont que des galets insignifiants au fond de la mer de la vie. Oui, vous, bien sûr, avez les sentiments les plus intenses et les plus exquis. Mais personne d'autre n'a d'émotions dont il faut tenir compte. Vous n'avez qu'à utiliser les gens, à les maltraiter et à les mettre de côté lorsque bon vous semble. Imaginez la manière dont les dieux aztèques traitaient leurs adorateurs – les amenant à être sacrifiés et à se faire arracher le cœur vivants.

Voilà comment vous devriez traiter les gens qui sont bons envers vous – mais sans avoir recours à la mise en scène dramatique.

Si au travail quelqu'un se montre loyal envers vous et reste souvent tard pour terminer des projets, et qu'il en vienne à compter sur votre appui pour obtenir une augmentation de salaire, dites-lui qu'il n'a qu'à se débrouiller. Si vous avez un professeur qui se montre patient envers vous et qui vous aide à apprendre quelque chose – comme si vous n'aviez pas la science infuse! – ne le remerciez pas, passez votre chemin au dernier jour de classe sans lui adresser la parole. Si vous avez une amie qui vous a écoutée déplorer continuellement un amour perdu, ne répondez pas même au téléphone lorsqu'elle vous appelle pour vous demander une faveur.

Mordre la main de celui qui vous nourrit constitue un des moyens les plus sûrs, une des armes les plus habilement forgées que vous possédiez. Mais ça, vous le saviez déjà, puisque (maintenant je prêche un converti!) vous savez *tout*.

Juste au cas où vous l'auriez oublié, rappelez-vous-le dès maintenant: Vous ne devez strictement rien à personne, et les gens qui sont gentils envers vous… eh bien, ce ne sont que des lèche-bottes et des perdants de toute manière. Ce ne sont que de misérables malotrus que vous pouvez traiter comme bon vous semble. Et le vieux dicton au sujet de la nécessité de bien traiter les gens, la Règle d'or et toutes ces niaiseries... hé, ce ne sont rien de plus que des contes de bonne femme provenant d'un très vieux Livre. Oubliez tout ça. Vous savez pertinemment que ce n'est pas en ayant de la considération pour autrui qu'on devient riche et célèbre. C'est à *eux* qu'il incombe de bien *vous* traiter, et vous êtes tout à fait en droit de les traiter comme des chiens.

14

Traitez bien les gens qui vous maltraitent

C'est ça. Ils vont bientôt changer et se mettre à vous traiter vraiment, vraiment bien. Peut-être. Mais que ce soit le cas ou non, regardons les choses en face : Il y a en vous quelque chose d'étrange qui vous pousse à céder et à traiter *vraiment* bien les gens qui sont méchants envers vous. D'une certaine manière que vous ne sauriez trop expliquer pour le moment, les gens qui vous traitent comme un chien enrichiront beaucoup votre vie plus tard si seulement vous les traitez vraiment avec gentillesse – de préférence en ne tenant aucun compte de ceux qui ont été bons envers vous en cours de route.

La fille qui a rompu avec vous à deux reprises lorsque vous étiez follement amoureux d'elle ? Achetez-lui des bijoux. L'agent qui vous a promis de remplir son contrat et qui n'a fait que dormir au travail par la suite ? Passez l'éponge. Il vous sera d'une grande utilité un jour, alors donnez-lui une télé à écran plat. Bien traiter les vrais saligauds que vous croisez dans la vie vous procure une grande satisfaction et constitue en fait une source de détente. Alors, continuez dans la même veine. Ça vous procurera une très grande récompense, comme c'est toujours le cas lorsque vous laissez les gens mauvais vous maltraiter !

Voici un mystère, mais un bon mystère : Lorsque vous traitez les gens qui n'ont que du mépris pour vous avec le plus grand respect… vous verrez que ça vous fera nager dans le bonheur. Un de ces jours.

15

Fréquentez les mauvaises personnes

Côtoyez des gens malchanceux, à qui rien ne réussit et dont les habitudes sont révoltantes. Oui, peu importe combien votre vie peut sembler médiocre, il y en aura toujours d'autres qui seront plus ivres, qui auront épargné moins d'argent, qui se seront endettés davantage, qui auront eu plus de démêlés avec la justice et qui seront plus seuls que vous. Liez-vous d'amitié avec ces gens-là. La compagnie de ces loques humaines vous fera vous sentir mieux. Vous pourrez vous sentir supérieur tout le temps. Et leurs mauvaises habitudes ne déteindront jamais sur vous, car vous êtes parfait – même si le monde entier ne le sait pas encore. À compter d'aujourd'hui, lorsque vous vous sentirez mal, vous aurez en dessous de vous un support humain sous la forme de personnes dont la situation de vie est pire que la vôtre.

Il s'avère particulièrement utile de côtoyer des gens qui consomment de la drogue ou de l'alcool, ou qui mentent ou qui se vantent tout le temps. Et c'est vraiment une excellente idée que d'interagir avec des prétentieux qui se vantent sans même avoir la moindre chose dont se targuer. Et le fait de fréquenter des gens qui ne disent jamais la vérité donnera toujours de grandes récompenses. De plus, il est agréable de se trouver dans l'entourage de gens qui sont sans le sou, qui ont mauvaise haleine et les cheveux sales, et qui sont tout débraillés. Et c'est vraiment le top du top s'ils empestent par-dessus le marché.

Mais ces habitudes énervantes ne vous colleront au grand jamais à la peau, bien sûr. Non, m'sieur. Non, m'dame. Au contraire, vous ne ferez que connaître une réussite de plus en plus grande simplement en vous associant à une bande aussi super. Vous avez peut-être entendu dire que les autres se feront juger d'après leurs amis. *Mais pas vous.* Personne ne peut vous juger, puisque vous êtes le juge suprême de l'humanité. Non seulement ça, mais encore vous êtes si unique que personne ne sera jamais en mesure d'estimer votre grandeur à sa juste valeur, pas plus que quiconque ne saurait fixer du regard un soleil éclatant pendant plus de quelques instants…

Continuez donc de vous entourer de la lie de la société, et vous verrez combien ça vous rendra plus heureux !

16

Faites en sorte que votre entourage se sente insignifiant

C'est bien ça. Embarrassez-les. Rabaissez-les régulièrement, et vantez-vous autant que possible de votre famille, de votre emploi, de votre voiture et de vos relations. Si votre voisin a perdu une petite fortune à la bourse, dites-lui combien certains de vos investissements viennent de vous rapporter. Si le pauvre type a l'air penaud, dites-lui que vous n'auriez jamais commis l'erreur qu'il a commise en un million d'années. Si la femme d'à-côté vient de rompre avec son petit ami, dites-lui depuis combien de temps vous êtes mariée et heureuse de l'être.

Si votre secrétaire vous dit que sa voiture n'arrête pas de tomber en panne, veillez à lui rappeler que la vôtre ne vous pose jamais le moindre pépin et est toujours en parfait état. Ne dissimulez pas le mépris qu'elle vous inspire –

après tout, il faut être vraiment stupide pour avoir acheté une voiture aussi lamentable !

Tout ça peut d'ailleurs s'accomplir avec beaucoup de savoir-faire. Choisissez le moment où votre collègue est réellement abattu et déprimé pour bien retourner le fer dans la plaie. Faites-le surtout lorsque c'est une question d'argent. Celle-là peut vraiment faire mal. Donnez simplement libre cours à votre vantardise. Targuez-vous autant que possible de tout dans votre vie. (Mais ici encore, concentrez-vous sur l'argent, ça peut vraiment serrer la vis.) Il y en a qui croient que ça amènera les gens de votre entourage à vous mépriser. Mais vous savez bien que ce ne sera pas le cas (et de toute manière, on s'en moque, puisque vous êtes un véritable dieu et que tout le monde n'existe que pour vous adorer). En agissant de la sorte, vous courez la chance de susciter l'admiration et même l'adoration de tous. Ils veulent être insultés et humiliés – peut-être pas par quelqu'un d'autre – mais par *vous*, certainement ! En fait, c'est un privilège pour eux que de se faire traiter par vous avec arrogance… et ils ont intérêt à y prendre goût !

17

Marquez les points

Prenez continuellement note des injustices de la vie, et mettez-vous vraiment en colère pour chacune d'elles. Oui, nous savons tous que le monde n'est pas fait pour être juste – sauf en ce qui *vous* concerne ! (Et dans votre cas, il est censé être *plus* qu'équitable.) Mais encore une fois, ne vous demandez même pas s'il est équitable pour les autres. La seule chose qui compte, c'est votre colère justifiable contre tout ce qui n'est pas parfait pour *vous*.

Ne pensez pas au fait indéniable qu'il y a de petits enfants dans les services de cancérologie. Ce qui compte, c'est que le serveur à votre bar s'est montré impoli envers vous. Vous n'en avez rien à foutre qu'il y a des gens qui sont actuellement vendus en esclavage au Soudan – hé, la laitue dans votre salade n'est pas assez croustillante ! Et le gars qui réussissait bien mieux que vous à l'école ? Il a dû plagier. Et comment

se fait-il que votre maison n'ait pas gagné autant en valeur que celle de votre sœur ? Vous
vous êtes fait avoir, mon ami, et nous le savons
tous les deux. Oui, la journée est belle, et vous
vous sentez en bonne santé, mais il y a le mauvais tuyau que votre courtier vous a donné le
mois dernier. Y'a pas à dire, vous vous êtes fait
avoir ! C'est plus que de l'envie. Il s'agit de faire
savoir à tout l'univers que la vie vous doit d'être
meilleure. Mettez-vous en furie et nourrissez
cette colère, de même que le sentiment de
vous être fait avoir. Ça vous aidera assurément
à vivre votre journée à toute vapeur, ce qui
s'avérera être beaucoup plus intéressant que
de la vivre bien calmement.

Quand vous sentez que vous pourriez avoir
une excellente journée, rappelez-vous un affront
réel ou imaginé que quelqu'un vous a infligé.
Vous souvenez-vous de la fois où votre ami a
insisté pour s'asseoir sur le siège avant un soir
que vous étiez sortis à deux couples ? Ou vous
rappelez-vous les actions que vous avez ache-
tées et dont la valeur a augmenté juste après
que vous les avez vendues ? Peut-être pourriez-
vous vous rappeler quelqu'un qui est venu se
placer juste devant vous dans une file d'attente
à l'aéroport il y a dix ans. Et ce vieil ami du col-
lège qui en est venu à connaître une réussite
bien plus grande que la vôtre ?

Soyons sérieux. En réfléchissant bien à tout ce qui peut rendre *misérable*, on réalise qu'il n'y a pas de quoi être heureux. Surprise ! – vous allez découvrir que la liste est presque infinie. Continuez simplement à marquer les points, et vous vous rendrez compte que vous êtes toujours perdant en bout de ligne. Et attisez sans cesse le feu de la colère qui vous retourne l'estomac, qui vous prive de sommeil et qui vous empêche d'apprécier la beauté qui vous entoure. La colère a sa propre récompense, et il en va de même pour le sentiment de se faire continuellement avoir.

18

Consommez drogue et alcool
en toute liberté

En voici une autre énorme :

Soyez dans le vent, et bousillez votre vie.
C'est vrai, vous avez peut-être entendu dire qu'il
n'existe aucun être humain assez puissant ou no-
ble pour que la drogue et l'alcool ne réussissent
à le traîner dans la boue. Oui, la consommation
de drogue et d'alcool peut détruire la vie d'une
superstar ou d'un milliardaire. Toutes les revues
de l'industrie du spectacle abondent en histoires d'hommes et de femmes qui, se trouvant au
sommet du monde, ont été mis à genoux par la
pauvreté, la folie et une mort prématurée parce
qu'ils ont consommé trop de drogue et d'alcool.
Comme vous êtes un génie qui sort de l'ordinaire, vous savez que les hôpitaux psychiatriques
du pays sont remplis d'hommes et de femmes
qui y ont été admis parce qu'ils se défonçaient
et restaient défoncés. Vous avez probablement

connu des gens qui ont gâché leur vie (de même que celle de leur famille) parce qu'ils étaient toxicomanes. Oui, les drogues et l'alcool consommés avec excès sont des poisons mortels pour la plupart des gens.

Mais vous êtes différent. Vous pouvez boire jour après jour, sans pour autant créer de dépendance. À dire vrai, vous êtes plus drôle, plus vif d'esprit, plus attrayant et plus sûr de vous lorsque vous avez un petit verre dans le nez. Ça fait ressortir votre raffinement et votre intelligence naturels. Ça vous rend semblable à un de ces personnages débordant de vie et de charisme qu'on voit au cinéma, comme James Bond – «secoué, mais pas remué», ha ha. Non, non, l'alcool n'est pas un problème pour vous. Vous avez essayé ça et ça vous plaît, mais vous pouvez arrêter n'importe quand. En fait, vous avez arrêté une bonne vingtaine de fois déjà. Bien sûr, le fait de lever le coude vous pousse à vous quereller avec votre femme et à négliger vos enfants. Mais vous savez quoi? Si l'alcool était si mauvais, pourquoi en vendrait-on à tous les coins de rue? Pourquoi verrait-on tous les jours à la télé des gens en boire à grandes gorgées? Et si une célébrité est capable de le supporter, vous le pouvez aussi, mon ami puissant.

Et maintenant, que dire des drogues? Le joint, l'herbe, la MDMA, les pilules? Eh bien, pourquoi diable les aurait-on inventés? En fait, la vie est dégueulasse quand le monde ne reconnaît pas la grandeur de quelqu'un, ce qui ne peut se supporter qu'en se défonçant. Vous ne deviendrez jamais accro comme les perdants, et tous ces avertissements ne sont que du terrorisme psychologique pour punks.

Regardez, la moitié des médecins d'Amérique se défoncent actuellement avec des médicaments délivrés sur ordonnance. Vous savez pertinemment que c'est la vérité. Vous l'avez lu quelque part. Ou bien quelqu'un vous l'a dit au bureau. Et les sociétés pharmaceutiques empochent des milliards en en faisant le trafic – et ce sont d'immenses sociétés d'État respectables. En quoi les drogues pourraient-elles donc être si mauvaises? En fait, si vous pouvez obtenir d'un médecin qu'il vous prescrive un médicament qui vous calmera ou vous donnera un peu d'entrain, pourquoi vous priveriez-vous de lui rendre visite à son cabinet? Et pourquoi ne pas contourner tout simplement le corps médical en téléphonant directement à votre copain de l'université pour lui acheter un joint de marijuana? Ou deux? C'est pas seulement que ça vous fait vous sentir mieux. C'est *génial*. Au cinéma, les plus géniaux le font. Les ados les plus géniaux de l'école le font. Alors, pourquoi ne pas faire quelque chose qui vous fera vous sentir bien et qui est aussi vraiment dans le vent?

L'idée qu'une drogue mène à une autre plus forte ne s'applique pas à un homme ou à une femme de volonté comme vous. Vous êtes bien trop fort pour même craindre de devenir dépendant de la marijuana et d'en venir ensuite à avoir besoin de quelque chose de plus fort comme l'héroïne pour vous aider à passer la journée. C'est vrai que vous l'avez trouvée plutôt difficile cette journée où vous avez essayé de vous passer de drogue, mais si c'était vraiment important, vous pourriez la lâcher n'importe quand. Souvenez-vous: Vous êtes le patron. Les drogues travaillent pour vous. Vous les possédez. Elles ne vous possèdent pas – et peu importe ce qu'elles ont pu faire à d'autres, les drogues ne *vous* contrôleront jamais.

Alors, quand vous voudrez vous sentir un peu mieux, n'hésitez pas à sortir la bouteille ou les pilules. Vous méritez de vous changer les idées aujourd'hui – et tous les jours. Vous avez tout à fait le droit d'éviter de ressentir toute émotion que vous ne souhaitez pas ressentir. Donc, si les drogues et l'alcool vous rendent la chose possible (et pourquoi ne le feraient-ils pas?), hé, allez-y!

49

19

N'économisez pas le moindre sou

Répétez après moi : « J'ai pas besoin de foutues économies ! » Les économies, c'est bon pour les poules mouillées et les ballots. Vous aurez toujours un super emploi ou beaucoup de veine à la bourse ou des « amis » dont vous pourrez profiter. L'argent poussera dans les arbres et pendra comme des fruits à votre portée tout autour de vous. Il n'y aura jamais de mauvais jours dans *votre* vie. L'argent coulera toujours à flots, comme par magie. De plus, si contre toute probabilité votre liquidité devait diminuer un petit peu, vous auriez une flexibilité particulière que personne d'autre n'a. Vous pouvez vivre tout aussi bien en dépensant peu que beaucoup. Beaucoup de gens ont de la difficulté à se faire à l'idée d'avoir moins d'argent à dépenser. Mais pas vous. Vous pouvez vivre avec un million par année ou avec rien du tout. Vous êtes comme un moine bouddhiste. Vous évoluez bien au-dessus des vulgaires questions d'argent. Alors, il importe peu que vous fassiez des économies. Vous êtes qui vous êtes, indestructible et rebelle.

Par ailleurs, pensons-y une seconde. Faire des économies, c'est bon pour les gens qui ne savent pas savourer l'instant qui passe. Mais *vous*, vous avez le don de goûter la vie. Vous aimez dépenser de l'argent quand vous vous sentez bien – *et aussi quand vous vous sentez mal* –, vous, le veinard. Vous savez précisément comment employer l'argent que vous avez dans vos poches quand vous avez envie de quelque chose, sans retenue. Les gens qui se jouent un mauvais tour en ne dépensant pas lorsqu'ils devraient se faire plaisir ? Des perdants ! Ce que vous ne serez jamais. Vous êtes du genre «champagne et caviar», et si les autres ne le sont pas, c'est leur problème.

Ce que je veux dire, c'est que ce n'est pas comme si vous alliez jamais vieillir, prendre votre retraite et avoir encore besoin d'argent pour vivre. Vous ne perdrez jamais votre emploi et ne passerez jamais de nuits blanches à vous demander comment rembourser votre hypothèque. Vous n'aurez pas même besoin d'un acompte pour une maison. Loin de là. Non, tout se déroulera toujours sans heurt sous un ciel sans nuage. L'argent ne cessera pas de couler à flots. Les mots «récession» et «licenciement» font partie du vocabulaire de quelqu'un d'autre, non du vôtre.

Et si vous deviez vous retrouver dans la déveine, vous pourriez toujours faire peur à un perdant qui a fait des économies, et lui soutirer de l'argent. Pourquoi, selon vous, le Tout-Puissant a-t-il créé des économes et de petites gens qui amassent de l'argent? Pour qu'il y en ait toujours dans les parages pour vous prêter (*donner*, en réalité) de l'argent. C'est vrai qu'on vous a peut-être dit que vous ne devriez «ni prêter ni emprunter». Mais ça ne s'applique pas à vous, mon ami. En fait, c'est un privilège que de prêter à quelqu'un d'aussi formidable que vous. Beaucoup de gens traversent la vie en ne faisant qu'économiser, économiser, économiser. *Barbant!* Et à quoi cela leur sert-il? C'est de la merde, tout ça. Non, le seul moyen pour que leur argent leur soit utile, ce serait de l'utiliser pour se rapprocher d'un ange comme vous. Alors, faites-leur une faveur: Ne faites pas d'économies, et donnez-leur la chance de vous prêter de l'argent plus tard.

Vous vous demandez: «Et s'ils ne veulent pas me prêter d'argent quand je serai dans le besoin?» Mon cher, ce n'est pas possible. Pas pour un être adorable comme vous. Et si d'aventure une manne vous tombait du ciel? N'économisez pas, et vous serez fasciné de voir ce qui se passera si vous avez soudain besoin d'argent. Il n'y aura pas que votre voisin génial ou votre ex-femme ou vos cousins que vous avez perdus de vue depuis longtemps qui accourront pour vous venir en aide. Non, loin de là. Ce seront les «Grands»: les sociétés émettrices de cartes de crédit, les sociétés de prêts automatiques, les banques, les compagnies d'assurances – elles seront toutes heureuses de retarder vos remboursements indéfiniment, contre une simple poignée de main et un sourire. Non, bien entendu, elles ne font pas ça pour n'importe qui. Mais pour vous, la vie sans argent sera un jeu d'enfant. Les amis, les créanciers – à peu près tout le monde dans votre vie – nourrissent le désir secret de vous accommoder quand vos greniers se feront un peu plus vides. Dépensez et dépensez, et laissez l'argent s'épuiser, et vous serez agréablement surpris de constater combien la vie peut être facile quand on est sans le sou.

Pour vous, l'argent est comme la drogue et l'alcool: Vous pouvez bien vous en sortir avec ou sans lui. Vous êtes aux commandes.

20

Faites fi de votre famille

Défaites-vous de ces boulets et de ces chaî-
nes. Ça va à l'encontre de ce que vous avez pu
entendre de la bouche d'autres personnes, mais
c'est néanmoins la vérité – du moins pour vous !
La famille ? Ce n'est qu'un fardeau à porter, de
toute manière. Qui en a besoin ? Bien sûr, ils
sont là pour vous quand vous avez besoin de
compagnie et de soutien (comme si un super
héros comme vous avait besoin de futilités
pareilles – ha !). C'est vrai, lorsque le reste du
monde vous oublie, ils sont là. Eh puis quoi,
bonté divine ? Vous devez être une pierre qui
roule, un homme libre de toute attache, comme Jack Nicholson dans *Easy Rider*. Vous
devez être Marlon Brandon dans *Les anges sau-
vages* et Keanu Reeves dans *La matrice*. Vous
devez avoir la liberté d'agir selon vos rêves et
vos fantasmes. Une famille ne ferait que vous
freiner.

Bien entendu, vous les voulez dans les parages lorsqu'ils peuvent faire quelque chose pour vous, mais quand ils ont besoin de *vous*, que le diable les emporte. Les responsabilités comme payer les factures et aider à préparer un repas ? Oubliez ça. Quand a-t-on vu James Bond payer une facture d'électricité ou aider un enfant à faire son devoir d'algèbre ? Non, ce n'est pas pour un agent secret / un noceur / une vedette du rock comme vous. Vous croyez que Dirty Harry avait des piles de factures à payer ? Ou des listes de vocabulaire pour aider son enfant à apprendre à épeler ? Pas du tout. Regardez, vous pourriez condescendre à vous présenter lorsque votre fils marque le but de la victoire. Vous serez là si votre fille est nommée reine de son bal de fin d'année, c'est sûr. Mais s'ils ont des ennuis, ça leur fera le plus grand bien de les régler eux-mêmes. C'est comme ça que le caractère se forme. Vous n'avez qu'à faire comme si vos enfants n'avaient pas besoin de vous, et vous verrez combien ils deviendront grands et forts. (Et combien *vous* serez heureux et fier si vous savez en votre for intérieur que vous ne vous serez pas occupé d'eux lorsqu'ils étaient jeunes.)

Oui, je sais. Lorsque vous faites fi d'eux, ce n'est pas toujours beau à voir. Il se peut qu'ils pleurent ou aient l'air blessés, mais ça fait tout simplement partie de la croissance. S'ils étaient aussi intelligents que vous (et qui l'est ?), les enfants sauraient que vous êtes en train de leur rendre un immense service en les obligeant à se débrouiller par eux-mêmes. En fait, les ados se lamentent tout le temps qu'on ne les laisse pas seuls. Eh bien, voilà leur chance. Vous ferez la belle vie, vous serez sorti en train de sauver l'univers et vous ferez la grasse matinée. Au bout du compte, vous et vos enfants, vous vous en porterez beaucoup mieux.

Vos parents ? Qu'ils aillent se faire voir. Ils sont rasoir, et qu'est-ce qu'ils ont bien pu faire à part vous harceler ? En fait, leur conduite est habituellement monstrueuse, pratiquement impardonnable. Ils vous disent quoi faire, à *vous* tout-puissant. Vous ! C'est bien ça. Ils vous disent de bien vous nourrir, de dormir suffisamment, d'économiser votre argent, d'être prudent. Pouvez-vous le croire ? C'est comme dire à une rivière comment couler ou aux étoiles comment briller.

Peut-être ont-ils fait des choses pour vous quand vous étiez enfant. Peut-être vous ont-ils nourri et hébergé, et ont-ils changé vos couches. Peut-être ont-ils été patients avec vous lorsque personne d'autre ne l'était. Peut-être vous tenaient-ils compagnie pour vous éviter d'être seul. Et alors ? C'est ce qu'ils étaient censés faire. Combien de fois doivent-ils l'entendre pour comprendre ? Ils ont fait leur devoir, et le temps est maintenant venu de passer à des choses plus grandes et meilleures.

Soit dit en passant, si par miracle quelqu'un devait vous dire qu'il y a quelque chose qui ne tourne pas rond chez vous, sachez que ce sont vos parents qui vous ont tourné en bourrique. Ne l'oubliez pas. Ces vieux qui s'efforcent d'avoir l'air si doux, si innocents et si inoffensifs ? Selon toute théorie de la psychiatrie, ce sont les parents qu'il faut blâmer pour tout. Alors, si vous êtes un peu égoïste parfois et que vous ne vous rappelez pas toujours dans le moindre détail ce que vous êtes «censé» faire, à qui la faute ? *En effet, c'est la leur*, et celle de personne d'autre. Alors, oubliez-les, je vous le dis. Ils ont de la chance que vous ne les dénonciez pas – même maintenant que vous êtes dans la trentaine ou la quarantaine. Et s'il vous arrivait de vous ennuyer d'eux, prenez tout simplement un verre. Ou achetez-vous quelque chose.

Votre conjoint ou conjointe n'arrête pas de réclamer votre attention alors que c'est vous qui devriez avoir toute la sienne ? Et il/elle s'attend en réalité à ce que vous fassiez des choses dans la maison ? Mais voyons, à quoi servent les femmes et les maris ? Bien paraître et se rendre disponible sexuellement au cas où vous en auriez envie, voilà à quoi ils servent ! Après ça, ils pourraient tout aussi bien être des geôliers. S'ils ont l'intention de vous dire ce que vous avez à faire, qui en a besoin ? Le conjoint ou la conjointe devrait être là uniquement quand vous voulez quelque chose, et se tenir tranquille et se la fermer le reste du temps – comme un fauteuil bien confortable. Si la bonne femme ou le bonhomme ne peut pas faire ça, défaites-vous-en au plus vite.

On surestime énormément la famille. Vous vous débrouillerez bien sans elle. Et vraiment, ce sera à son avantage aussi. Le monde est si chaleureux et si amical qu'il va de soi qu'on s'y retrouve tout seul, sans personne dans son équipe – surtout si le contraire devait exiger un effort réel de votre part. Laissez tomber la famille… mais je vous en prie, attendez d'elle qu'elle soit là pour vous si vous avez besoin d'une aide instantanée !

21

Sachez que les règles d'une conduite raisonnable et décente ne s'appliquent pas à vous

Élevez-vous au-dessus de tout ça.

Permettez-moi de vous donner quelques exemples – comme si vous en aviez besoin :

Les impôts : Quelle emmerde qu'il faut s'évertuer à comprendre ! Il y a toutes sortes de documents à recueillir, à examiner, à trier, des notes à prendre, puis souvent de l'argent à cracher. Parfois même beaucoup. Eh bien, seuls les idiots paient leurs impôts en entier. (Ne vous rappelez-vous pas ce grand exemple de vie, Leona Helmsley, qui a dit : « ... seule la populace paie ses impôts » ? Tirez une leçon de son exemple, vous, la grande et adorable œuvre d'art.) En fait, pourquoi même se donner la peine de produire une déclaration de revenu ? Ça représente une tonne de travail, et puis, il y en a des centaines de millions d'autres qui produisent la leur. Pour l'amour du ciel, pourquoi le fisc aurait-il besoin d'une de plus de ma part? Les employés du fisc ne sont que de simples travailleurs comme vous. Pourquoi donc les surcharger d'une paperasse supplémentaire?

Par ailleurs, si et quand vous produisez une déclaration et que vous y faites des erreurs, ne vous en souciez pas. Vous ne vous ferez jamais prendre par le fisc. Dans le cas contraire, ça les fera bien rire et ils vous demanderont simplement de bien vouloir ne pas recommencer. Tout le monde sait que le fisc a bon cœur et sait se montrer compréhensif. Avez-vous déjà fait l'objet d'une vérification fiscale? Le cas échéant, vous savez combien ces gens sont sympa. Ils aiment bien rire, surtout à leurs propres dépens. Ce n'est qu'une bande de bureaucrates qui se plaisent à passer leurs journées près du distributeur d'eau réfrigérée à se raconter des histoires grivoises. Épargnez-leur donc un peu de travail, et épargnez-vous-en beaucoup, et vous verrez combien les gens du fisc vous en seront reconnaissants. (Encore une fois, si vous en venez à produire une déclaration, ne songez pas même à payer au fisc ce que vous lui devez réellement. Ne payez que ce que vous avez envie de lui payer. C'est déjà assez emmerdant de lui verser quoi que ce soit. Vous devez bien vous en garder *un peu.* Laissez donc aux autres pauvres péquenauds le soin de prendre la relève.)

La conduite automobile : Hé, mon ami, la route vous appartient. Conduisez donc comme le cœur vous en dit. Il n'y a que les cons qui respectent les limitations de vitesse. Vous êtes pressé. Sans compter que vous êtes né avec la course automobile dans le sang. Les limitations de vitesses ne s'appliquent qu'aux petites vieilles et aux trouillards. Vous pourriez conduire à 130 km à l'heure dans n'importe quelle ville ou sur n'importe quelle autoroute les yeux fermés – et je parie même que vous le faites parfois, petit coquin ! – sans jamais avoir le moindre ennui. Le moins qu'un as du volant comme vous puisse faire, c'est bien de conduire à la vitesse qui vous convient.

Boucler votre ceinture de sécurité ? Pourquoi faire ? Ce n'est pas comme si vous risquiez de faire un accident, sans compter que la ceinture vous donne des démangeaisons à l'épaule. Par ailleurs, vous avez lu quelque part qu'il est préférable de ne pas porter votre ceinture pour ne pas rester pris dans la voiture si vous deviez en sortir d'urgence – par exemple, pour vous désaltérer ou acheter quelque chose.

Signaler votre intention de changer de voie ? Mais pourquoi donc ? C'est le problème de quelqu'un d'autre, pas le vôtre. Faire faire la mise au point de votre voiture et faire vérifier l'état de vos freins ? Vous le feriez si vous en aviez le temps, mais vous êtes si occupé. Laissez les autres conducteurs sur la route se préoccuper de *vous*. Vous n'avez pas le temps en ce moment de vous soucier d'*eux*. De toute manière, vous n'aurez jamais d'accident. Vous n'avez même jamais eu de contravention, n'est-ce pas ?

La cigarette : Hé, vous n'est plus un enfant. Vous pouvez agir à votre guise. Et puis quoi s'il existe une montagne de données faisant la preuve que la cigarette peut vous tuer ou vous donner un cancer susceptible de vous bouffer la langue, le foie et les poumons ? Ne venez-vous pas de regarder un film de la Seconde Guerre mondiale avec John Wayne dans lequel tous les gars fumaient ? Et n'étaient-ils pas tous aussi résistants que de vieilles bottes ? Bien sûr que si. Vous rappelez-vous le Duke, qui a botté le cul à tous ces nazis ? Non seulement ça, mais aussi les gars fument dans tous les films de gangsters. Alors, pourquoi pas vous ? Et n'avez-vous pas rencontré un gars un jour qui vous a dit que son oncle avait fumé toute sa vie et s'était rendu jusqu'à 88 ans ? Hé, George Burns a fumé beaucoup de cigares et a vécu jusqu'à 100 ans ! De plus, la cigarette vous aide à vous sentir bien. Il suffit d'une seule bouffée pour que toute cette nicotine riche et agréable envahisse vos poumons et votre sang, et vous procure un sentiment de sécurité et de réconfort. Prenez une longue bouffée et regardez un tiers de votre cigarette se changer en cendre, sachant que le goudron ira se déposer directement dans votre système cardio-pulmonaire immortel. Payez-vous du bon temps !

Préparer l'avenir : Il n'en est pas question. Vous êtes du genre bon vivant. Vous avez besoin de jouir de l'instant qui passe. Il faut trop de matière grise pour penser plus loin que l'instant présent. Ça vous ride le front, alors pourquoi diable le faire ? Noter quelques projets d'avenir et quelques chiffres auxquels tenter de s'en tenir ? Hum, je ne crois pas. Je crois que ça s'épelle « B-A-L-L-O-T » et que ce n'est pas digne de vous. Avez-vous déjà vu James Dean faire de petits budgets ou planifier quoi que ce soit sur une feuille de papier ministre ? Avez-vous déjà vu Clint Eastwood ou Tom Cruise le faire ? Et Liz Taylor ou Julia Roberts ? Alors pourquoi le feriez-*vous* ? Croyez-vous qu'une divinité en chair et en os doive s'abrutir à faire de petits plans ? Non, *vous* contrôlez l'avenir, alors pourquoi devriez-vous vous en préoccuper ? Votre avenir sera ce que vous voudrez qu'il soit.

Posséder une maison : Acheter une maison, pour ne pas avoir à payer de loyer toute votre vie ? C'est trop de tracas. Remplir tous les formulaires d'hypothèque, c'est beaucoup de travail. Sans compter qu'il faut visiter des maisons, faire les cartons et déménager. Mais, hé, peut-être qu'une bonne fée réalisera votre déménagement par magie. De toute manière, tout ça s'inscrit dans le cadre de la préoccupation de l'avenir, ce à quoi il faut dire «non» avec fermeté. Vous le savez déjà, mais… l'avenir prendra soin de lui-même. Vous n'avez pas à faire la moindre chose que vous n'avez pas envie de faire.

Se montrer digne de confiance : Rendre les choses que vous empruntez? Pourquoi faire? Ce sont *vos* choses maintenant! Par ailleurs, qui s'en soucie? Il y aura toujours une autre poire pour vous donner ce que vous voulez. Rendre *l'argent* que vous avez emprunté? Je ne crois pas! En fait, à quoi diable servirait-il d'emprunter de l'argent s'il faut le rendre? À quoi ça vous servirait-il? Vous vous retrouveriez dans la même situation qu'avant si tout privilège devait être aussi une obligation. Pour l'auguste personne que vous êtes, le concept d'«emprunt» n'existe pas du tout. Il n'y a que celui de «donner», comme dans «donne-moi»; et celui de «prendre», comme dans «je prends ça». Voilà les seules options, et nous savons vachement bien qui est celui qui prend ici-bas. C'est vous, vous, vous. Je tiens à le souligner de nouveau. Pourquoi emprunter s'il vous faut ensuite rembourser? Non, n'y songez même pas.

L'hygiène : En voici une bonne : Ne vous donnez pas la peine de soigner votre apparence et votre hygiène. Bien sûr, vous ne sauriez supporter les odeurs corporelles, la mauvaise haleine, la senteur des mégots de cigarette et de whisky chez les autres. C'est dégoûtant. Mais quand ça émane de vous, c'est comparable au meilleur des parfums français. Vous avez le droit d'attendre des autres qu'ils sentent la rose, mais *vous* n'avez pas à vous en imposer autant. Ça ne figure pas dans votre description de poste, pas plus qu'on ne pourrait attendre des bébés ou des dieux grecs qu'ils s'habillent eux-mêmes et restent impeccablement propres. Vous pouvez avoir l'air de ce que vous voudrez, les gens se réjouiront toujours de vous avoir près d'eux, point à la ligne.

Ouais, lorsqu'il s'agit de n'importe laquelle des situations mentionnées précédemment, vous pouvez agir à votre guise – mais vous aurez toujours le droit de vous plaindre de n'importe qui et de le critiquer tout à loisir ! Et c'est exactement ce que signifie le fait de s'élever au-dessus de tout !

22

Vivez comme si la vérité était relative – une cousine éloignée

Ne dites pas la vérité si vous n'en avez pas envie. La «vérité» n'est qu'un moyen de vous nuire, de vous contrôler et de vous embrouiller lorsque vous devez «confesser» des choses qui pourraient vous sembler un peu embarrassantes. La vraie vérité, celle qui compte, c'est ce qui fonctionne pour vous et qui vous permet de vous sauver la peau des fesses. Il n'existe aucune vérité objective autre que ce qui est bon pour vous. Et qui se préoccupe que vous vous fassiez prendre à mentir? C'est le problème de quelqu'un d'autre. Personne n'a le pouvoir de vous juger. *Vous* êtes seul à pouvoir vous juger. Je pense que Charles Manson l'a dit déjà, n'est-ce pas?

Dire la vérité, comme payer ses impôts, se conçoit pour les personnes insignifiantes, mais pas pour vous. La vérité est un joli concept pour poètes et philosophes, mais elle ne signifie rien pour vous si elle vous nuit. Pensez-y : Les grandes nations racontent souvent des bobards lors de situations diplomatiques. Elles disent qu'elles n'attaqueront pas, mais le font par la suite. Elles nient qu'Untel est un espion, alors que c'est le cas. Si des nations peuvent le faire, pourquoi pas vous ? Vous êtes pour le moins aussi important que tout pays ayant jamais existé, n'est-ce pas ?

Soit dit en passant, la dernière fois que j'ai vérifié, vous n'étiez pas prisonnier dans un foutu pays communiste. Vous n'avez pas à confesser quoi que ce soit. La Constitution vous permet de mentir tout votre soûl. Les politiciens ne le font-ils pas ? Les propriétaires de commerces ne le font-ils pas ? Ne le font-ils pas continuellement dans les publicités de produits favorisant la pousse des cheveux et autres produits du même genre ? Alors, pourquoi ne le pourriez-*vous* pas ? Pourquoi donc, dans un monde où le mensonge est monnaie courante, seriez-vous tenu de dire la vérité ? Si vous trompez la confiance des gens, qu'est-ce que ça peut bien faire ? C'est leur problème. Vous n'êtes pas une foutue fée ou le gardien de la vérité. Vous êtes qui vous êtes – une divinité en chair et en os – et la vérité n'est que le sol que vous foulez de vos pieds dorés.

Par contre, si la vérité sert bien votre cause, alors tout le monde est également tenu de la dire.

Peut-être que je pourrais dire les choses encore plus clairement : Tout concept et tout principe existe pour que vous vous en serviez ou que vous en fassiez fi, selon qu'il vous vient en aide ou non. S'il ne vous vient pas en aide, c'est quelque chose de bidon ; et s'il vous vient en aide, c'est quelque chose de formidable. C'est aussi simple que ça, puisque vous êtes au centre de l'univers, avec la création entière qui tourne lentement autour de vous.

23

Rappelez-vous que personne d'autre ne compte

N'oubliez jamais que les relations ne valent rien. Il se peut toutefois que vous ayez entendu une rumeur insensée qui laisse entendre que les relations sont vitales et que le livre le plus important que vous puissiez posséder est votre propre carnet d'adresses. Il se peut aussi que vous ayez entendu dire que vous deviez bien traiter les gens parce qu'il se pourrait que vous en ayez besoin un jour.

C'est de la foutaise. Vous savez qu'il n'en est rien. Vous pouvez et devez traiter les gens comme bon vous chante. Il n'est jamais nécessaire de penser à faire des faveurs aux autres et de vous montrer bon à leur égard pour qu'ils se souviennent de vous et qu'ils vous aident à trouver un emploi ou conduisent votre enfant à l'école. Ils souhaiteront toujours faire tout ce que vous voudrez qu'ils fassent *au moment même* où vous le voudrez. Peu importe comment vous les traitez, ils se tiendront constamment à votre entière disposition. Les gens ordinaires ne se rappelleront pas même que vous les avez aidés lorsqu'ils avaient besoin de quelque chose. Ils ne vous en voudront pas si vous les maltraitez. Loin de là. Non, au contraire, ils voudront vraiment vous venir en aide autant que possible. En fait, vous pouvez traiter tous les gens que vous connaissez comme des chiens (ou comme les modestes mortels qu'ils sont) et ils souhaiteront encore vous venir en aide n'importe quand.

Permettez-moi de vous donner un exemple. Vous souhaitez trouver un emploi dans l'industrie du spectacle, et vous avez justement un cousin qui y travaille. Eh bien, ne vous donnez pas même la peine de lui témoigner la moindre gentillesse ou courtoisie. Empruntez-lui des choses et ne les lui rendez pas. Moquez-vous de lui. Tourmentez-le pour ses opinions politiques et religieuses… sachant que, même alors, il sera parfaitement heureux de faire tout ce qu'il peut pour vous !

Ou supposons que vous ayez une sœur médecin. Elle pourrait vous aider à vous défaire de la toux persistante que vous avez depuis environ 15 ans (bonté, se pourrait-il que la cigarette ait quelque chose à voir là-dedans ?). Peut-être connaîtrait-elle même un moyen pour vous d'abandonner le tabagisme sans trop de difficulté.

Alors, la chose à faire, c'est… de ne pas vous rappeler son anniversaire. Ne levez pas le petit doigt pour elle. Ne vous informez pas de ses enfants ou de son mari. Traitez-les tous comme des chiens… et ils seront prêts à vous venir en aide de toute manière. Vous rappelez-vous que je vous ai dit qu'il vaut mieux que vous maltraitiez les gens qui son bons envers vous et que vous traitiez bien ceux qui vous maltraitent ? Eh bien, en voilà simplement un autre exemple.

Par ailleurs, en quoi quelqu'un comme vous pourrait-il avoir besoin d'une aide quelconque de toute manière ? Zeus a-t-il jamais eu besoin d'aide ? Et les archanges du Seigneur ? Non, et c'est pareil pour vous. Vous êtes né parfait, sans le moindre besoin de compagnie ou d'assistance humaine. Les relations ne sont qu'un fardeau, comme la famille. Et s'il devait vous arriver d'avoir besoin de quelqu'un un jour, ils seraient prêts à vous venir en aide simplement parce que vous êtes qui vous êtes. Il s'agit d'une raison plus que suffisante. Ça peut ressembler quelque peu à d'autres règles concernant le mauvais traitement des gens, et peut-être que c'est le cas. Mais je dois revenir sur la question pour vous rappeler que vous ne sauriez accorder trop peu de valeur aux rapports humains.

71

24

Sachez que vous ne devez rien à personne

Retenez cette pensée : Les obligations ne sont que pour les poires. L'univers a été créé pour que vous en profitiez, et non pour que vous fassiez quoi que ce soit pour qui que ce soit. Votre patron veut quelque chose de vous ? C'est dommage pour lui. Qu'est-ce qui fait penser à ce pauvre type que vous lui devez quelque chose simplement parce qu'il vous verse un salaire ? Quel ignoble grippe-sou ! On vous doit cet argent par le simple fait que vous soyez là, sinon en réalité, pour le simple fait d'exister. Vous n'avez pas à faire la moindre foutue chose pour le mériter.

Votre conjoint s'attend à ce que vous soyez quelque part en train de contribuer à un projet ? Qu'il aille se faire voir. Vous avez vos propres projets. (Rappelez-vous, la famille ne vaut rien.) Vous n'êtes l'esclave de personne. Vous avez le droit de faire tout ce qui vous fait envie. Pourquoi penserait-on que vous lui appartenez? N'ai-je pas expliqué déjà que le 13e amendement a mis fin à l'esclavage? Eh bien, redisons-le pour quiconque l'ignore encore: Vous avez vos propres besoins, projets et souhaits. Vous ne devez pas une sacrée chose à personne!

Une vieille bonne femme qui était copine avec votre mère veut quelque chose de vous? Peut-être s'agit-il de la même femme qui a trouvé un emploi à votre mère pour l'aider à payer ses études universitaires? Hé, n'est-ce pas là de l'histoire ancienne? Qui s'en soucie aujourd'hui? C'était il y a longtemps et ça s'est passé loin d'ici, et c'est tout ce qu'il y a à dire. Après tout, vous avez des choses importantes à faire aujourd'hui – comme ce grand match de football que vous voulez regarder à la télé. Oubliez tout sentiment d'obligation envers quiconque.

Le pays? Quelqu'un s'attend-il réellement à ce que vous soyez reconnaissant envers les soldats qui se sont battus et qui sont morts pour préserver la liberté du pays? Mais pourquoi donc? Oubliez ça! Vous ne connaissiez aucune de ces personnes, n'est-ce pas? Tout ça s'est passé bien avant votre naissance. Ils ne vous connaissaient pas. Ils ne l'ont pas fait pour vous. Ils l'ont fait parce qu'ils aimaient se faire geler les miches en France, et se faire exploser les bras et les jambes en crevant de faim. Ils l'ont fait parce qu'ils n'avaient rien de mieux à faire. Ils voulaient atterrir sur les sables rouges d'Iwo Jima et se faire déchiqueter en morceaux, eux et leurs amis, par une mine terrestre japonaise. C'étaient des fous. Par ailleurs, ils étaient payés pour le faire, non? Alors, pourquoi vous emmerdent-ils avec ça aujourd'hui? C'est leur problème s'ils se sont trouvés sur le trajet d'une balle ou d'un obus. C'est de l'histoire ancienne de toute manière. Vous ne leur devez absolument rien. Les hommes et les femmes qui donnent leur vie en Afghanistan? Hé, c'est loin, ça.

Et les professeurs qui vous ont enseigné à l'école? N'étaient-ce pas des emmerdeurs de première classe? Ils vous empêchaient d'obtenir le sommeil dont vous aviez tant besoin. Vous les méprisez encore. Il y en a qui vous ont donné de mauvaises notes parce que vous ne leur aviez pas remis votre travail – comme si une créature d'une immortalité éclatante comme vous ait jamais été tenue de faire autre chose après l'école que de traîner avec vos amis ou regarder la télé. Ils vous ont fait échouer lorsque vous ne connaissiez aucune réponse d'examen. Eh bien, mon ami! Où ont-ils pris l'idée que vous n'aviez rien de mieux à faire que d'étudier?

Les professeurs n'ont aucun sens du devoir ni amour pour les jeunes. Vous le savez, même si beaucoup de poires l'ignorent. Vous savez pertinemment que les professeurs ne veulent que leur gros chèque de paie. Ils peuvent bien leurrer les vieux, mais vous n'êtes pas dupe de leur manège, n'est-ce pas ? Jamais vous ne témoignerez le moindre respect pour une bande de perdants qui *enseignent* parce qu'en réalité ils ne savent rien *faire* de concret.

Le fond de l'histoire : Le monde s'attend à ce que vous soyez reconnaissant envers toutes sortes de gens et d'institutions, raisonnement absolument faux.

Tout le monde devrait *vous* être reconnaissant ! Je pourrais en dire long encore à ce sujet, mais un génie comme vous le sait dès qu'il le lit : Vous ne devez rien à personne.

25

Jouez votre argent

Jetez les dés! Réfléchissez-y bien. Vous savez déjà être la personne ayant le plus de bol à avoir vécu sur terre. Alors, pourquoi ne pas rendre la chose officielle en mettant un peu de pognon sur la table, question de prouver combien vous avez de la veine? C'est vrai, Las Vegas et Atlantic City doivent leur existence surtout au fait que les joueurs y perdent habituellement. Mais vous savez pertinemment que les règles ordinaires de la vie ne s'appliquent pas à vous. Le petit joueur ordinaire, ou même le flambeur, n'est qu'un perdant, ne serait-ce que pour une seule raison primordiale: Il n'est pas vous! Vous êtes parfait! Comment les cieux pourraient-ils permettre que quelqu'un d'impeccable comme vous perde à quoi que ce soit? Peut-être perdrez-vous pendant quelques minutes ou heures ou même années. Mais sur de longues périodes, vous en viendrez assurément à gagner gros aux cartes ou aux courses ou aux sports. Après tout, vous êtes déjà le gagnant des gagnants, n'est-ce pas ? Alors, pourquoi ne pas y aller pour les gros sous ?

Et rendons les choses très simples, messieurs et mesdames : C'est un fait qu'il y a des gens qui gâchent leur vie au jeu, et en viennent à s'appauvrir, eux et leur famille. Non seulement ça, mais aussi il est très rare de trouver quelqu'un qui gagne depuis longtemps au jeu. Mais quelle différence cela fait-il pour *vous* ? Vous êtes à l'abri de ce qui arrive au balourd habituel. Vous gagnerez et deviendrez fabuleusement riche. Vous êtes le seul et l'unique joueur dans l'histoire de l'humanité qui, en fin de journée, se retrouvera dans le noir.

Et, en fait, ce talent exceptionnel que vous avez vous fera accéder à une victoire glorieuse alors même que vos amis trébucheront et souffriront terriblement dans leurs piteux efforts pour accomplir de petites choses comme le travail et des économies. Vous les regarderez travailler à la sueur de leur front, mais ça n'aura aucune importance pour vous, parce que vous êtes au-dessus de la mêlée, en train de miser des jetons qui vous rapporteront des montagnes de fric.

Et ne résumez pas votre jeu à la roulette ou à la table de dés. Non, non, non. Misez sur des actions spéculatives. Misez sur des marchandises à terme. Misez sur des options incroyablement complexes dont la compréhension vous échappe. Elles ont été inventées dans le but de permettre à des hommes et à des femmes qui ont beaucoup de veine comme vous de toucher vraiment le paquet. Lancez-vous tête première ! Crachez de l'argent et préparez-vous à décrocher la lune.

(Hé ! N'oubliez pas de parier sur les événements sportifs, surtout ceux auxquels vous ne connaissez pas grand-chose. Votre intuition est si aiguisée qu'il vous suffira d'*entendre* le nom des équipes pour savoir lesquelles vous feront gagner !)

Alors, allez-y. Pariez. Menez la grande vie. Et n'arrêtez pas de jouer juste parce que vous perdez les dix ou mille premières fois. Continuez, mon ami. Et préparez-vous à la vie glorieuse qui vous attend.

26

Mettons les choses au clair : les animaux de compagnie sont pour les perdants

N'oubliez jamais que les animaux de compagnie sont casse-pieds. Il se peut que vous ayez entendu dire qu'un mignon petit chat pourrait vous tenir compagnie et égayer vos pires journées. Ou encore qu'un gros chien câlin et tout poilu pourrait vous procurer un sentiment de sécurité et de paix lorsque les temps sont terribles pour vous. Vous avez peut-être des amis (si même vous en *avez*) qui vous ont dit devoir la vie à leur chien ou à leur chat, qui leur a permis de continuer de vivre quand tout le reste leur semblait perdu. Et vous avez probablement déjà entendu la vieille histoire rabâchée selon laquelle le chien serait le meilleur ami de l'homme (ou de la femme).

C'est possible… pour le faible et le médiocre. Mais vous n'avez jamais de mauvaise journée. Et il ne vous arrive jamais de vous sentir faible et seul. Vous êtes tout-puissant en tout temps. Entre-temps, ce foutu chien ou chat doit être nourri, et vous devez nettoyer après lui lorsqu'il fait ses petits besoins ! C'est de la folie. Les hommes et les femmes de votre trempe ne font pas ces choses-là, point à la ligne. Vous faites ce que vous avez envie de faire, ce qui veut dire que vous ne nettoyez après personne. (Vous ne nettoyez pas même après vous, soit dit en passant, alors pourquoi diable nettoieriez-vous après une créature qui ne peut contribuer à payer l'hypothèque ou même lire un livre ? Pas que vous lisiez beaucoup, de toute manière…)

De plus, les chiens sont tout le temps en train de renifler partout et de se coller contre vous. Les empereurs romains interdisaient à quiconque de les toucher, sauf lorsqu'ils en donnaient l'ordre. De même, toute créature à fourrure qui ose *vous* toucher devrait être réprimandée. Sans compter que les chiens et les chats requièrent des soins. Je l'ai déjà dit, mais je vais le redire : Vous ne faites pas dans la prestation de soins. Vous vivez pour vous faire adorer sans aucune obligation réciproque.

Alors, laissons les mauviettes avoir des animaux de compagnie. Vous n'avez pas besoin de ces sales tracas.

27

Ne nettoyez pas après vous

Jetez le tablier. Je sais en avoir déjà fait mention, mais ça vaut la peine de le répéter : *Vous êtes un être parfait et les autres sont censés nettoyer après vous.* Vous n'avez qu'à laisser votre vaisselle et vos casseroles sales traîner dans la maison. Quelqu'un vous ramassera, même si vous vivez seul. Laissez vos vêtements sales par terre. Ce n'est pas votre travail. Vous n'êtes pas un domestique sur une plantation. Vous avez des choses à faire, des mondes à conquérir. Dites-moi, vous avez vu *La guerre des étoiles*. Est-ce que Luke Skywalker ou Han Solo passait son temps à faire la lessive et à plier des vêtements après les avoir repassés ? En avez-vous vu un laver les planchers après que Chewbacca a eu un accident ? C'est vrai que, dans *Autant en emporte le vent*, Scarlett s'est abaissée à faire du ménage. Mais c'était simplement pour vous montrer à quel point sa situation était devenue

mauvaise. Lorsque les choses se sont amélio-
rées pour elle, Scarlett a eu de nouveau des
serviteurs pour faire le sale boulot à sa place.

Pourquoi diable vous soucieriez-vous de
ce que les gens vous reprochent de n'être qu'un
malpropre ? Vous n'avez pas pour but dans la
vie de faire plaisir aux gens (un autre bijou de
vérité qui s'applique à vous !). Vous vivez pour
vous faire plaisir, c'est aussi simple que ça. (Et
les autres vivent pour vous faire plaisir !) Alors,
faites la fête, et laissez quelqu'un d'autre nettoyer après vous. Et si l'endroit où vous vivez
devient trop terrible parce qu'il commence à ressembler à une soue et à en avoir la senteur, il
n'y a qu'à déménager (mais vous devrez veiller
à laisser votre logement dans le pire état possible pour le prochain locataire).

Ça s'applique aussi aux gâchis émotionnels
et financiers. Et puis quoi si vous avez promis
d'aimer un homme, qui a laissé son travail et a
déménagé à l'autre bout du pays pour être près
de vous ? Si vous vous lassez de lui, laissez-le
tomber sans même lui donner un coup de téléphone. Et puis quoi si vous avez encouragé votre
partenaire à emprunter de l'argent pour démarrer
un commerce dans lequel vous alliez travailler
avec lui ? Si vous avez changé d'avis, c'est son
problème. Vous n'avez pas à nettoyer les dégâts
que vous faites. Ça, c'est pour les insignifiants.

Votre but dans la vie, c'est de vous faire plaisir à chaque instant. Je ne crois pas que ça comprenne le fait de se promener avec un balai et une pelle à poussière en main, tant au sens concret que figuré. Faites autant de dégâts que vous le voulez, puis fichez le camp tout gaiement sans demander votre reste. Vous en avez le droit.

28

N'ayez aucun respect pour l'âge
ou l'expérience

Respecter les cheveux gris ? Pourquoi le devriez-vous ? Vous êtes né avec la science infuse. Et vous êtes né particulièrement en sachant que le respect des aînés est une perte de temps. Ça nous ramène au concept selon lequel la meilleure manière de faire quoi que ce soit, c'est la *vôtre*. Les traditions ? Ce sont des inepties. Des compétences acquises par des années de pratique ? Ce sont aussi des balivernes. Si ça se trouve, vous en savez plus sur tout que quiconque n'en a jamais su et n'en saura jamais. Un travail acharné et industrieux qui permet à un homme ou à une femme d'acquérir une compétence, ça n'existe pas. Le savoir-faire de l'artisan ? L'art maîtrisé qui permet de créer la beauté ? La belle affaire ! Vous savez que vous réussiriez mieux si vous vous donniez seulement la peine d'essayer, et si vous ne vous en donnez pas la peine, c'est parce que ça n'en vaut pas la peine en premier lieu.

Les cheveux gris et les durillons ne signifient rien pour vous. Avec votre prime jeunesse (quel que soit votre âge), vous pouvez réussir n'importe quoi mieux que quiconque ne le peut et ne le pourra jamais. Alors, moquez-vous de l'âge et de l'expérience. Personne n'a quoi que ce soit à vous enseigner. Vous avez peut-être entendu dire que vous ne devriez pas klaxonner lorsque vous suivez un vieux schnock parce qu'il a peut-être risqué sa vie pour le pays quand il était jeune. Ou encore que vous ne devriez pas bousculer une vieille bonne femme sur le trottoir parce qu'elle a voué sa vie entière à prendre soin des autres. Quelle différence ça fait? Le monde ne tourne autour de personne d'autre que de vous et ne s'est pas montré plus clément pour vous. Si le fait de respecter vos aînés vous casse les pieds, au diable le respect! De plus, les vieux sont souvent très faibles et timides, alors vous pouvez et devriez les bousculer simplement parce que vous en êtes capable.

O.K. J'en ai assez dit. Vous n'avez qu'à éviter de tomber dans le piège stupide du respect de l'âge. De quelle utilité vous sera-t-il? Et, bien sûr, vous ne deviendrez jamais vieux vous-même, alors nul besoin de vous soucier du karma. Vous savez, de toute manière, ce qu'est le karma en réalité ? C'est ce que vous voulez ou avez besoin que ce soit pour *vous*.

29

Montrez à tous ceux qui vous entourent que vous êtes plus saint qu'eux

Ne dissimulez pas l'auréole. Lorsque vous croisez le chemin d'une personne qui fait quelque chose qui vous déplaît, citez-lui des passages bibliques qui lui indiqueront clairement qu'elle est mauvaise ou insensée. Quand on vous critiquera (imaginez!), récitez une prière ou un verset des Écritures qui met en comparaison votre martyre avec celui d'un célèbre saint. Lorsqu'on vous servira un certain type de plat chez des amis, soulevez une objection morale qui vous empêche de le manger. Vous accomplirez ainsi une double fonction : vous ferez en sorte que vos hôtes aient le sentiment, d'une part, d'avoir perdu leur temps et, d'autre part, d'être déficients sur le plan spirituel. Cette double réalité vous assurera d'être considéré comme étant supérieur au reste du monde. Et puis quoi s'ils vous en voulaient de les faire se sentir comme des rien du tout ? Les grands prophètes et sauveurs n'en viennent-ils pas tous à être persécutés ? N'est-ce pas en soi une indication claire de votre position élevée ?

Si vous êtes dans un lieu de culte, priez plus fort que quiconque. Si la prière se fait en langue étrangère, priez à voix forte afin qu'on sache que vous parlez couramment le latin, l'hébreu ou une quelque autre langue. Si un sujet d'ordre politique est soulevé lors d'une conversation, comme faire la guerre aux terroristes, interrompez la conversation de but en blanc en vous disant trop pieux et trop saint pour même penser à des guerres au cours desquelles des gens se font blesser ou tuer. Si quelqu'un près de vous est en train de parler de la bourse et que vous n'avez pas envie à ce moment-là de vous targuer de vos prouesses en matière d'investissements, dites simplement que vous n'avez pas envie d'aborder des « questions sordides d'argent ».

Et si un imbécile à qui vous avez emprunté de l'argent venait vous en demander le remboursement, peut-être pourriez-vous lui dire en le regardant avec compassion : « Il y a plus de joie à donner qu'à recevoir. » Vous pourriez peut-être aussi poursuivre quelque peu en indiquant combien vous êtes triste que la personne soit un tel grippe-sou. Ensuite, laissez échapper un soupir et dites être vraiment trop occupé à réfléchir aux choses de la Bible pour vous soucier de rembourser quelques obligations terrestres insignifiantes à l'instant même. Puis regardez vers le ciel, et évoquez «les taux usuraires».

Soit dit en passant, il s'agit d'ailleurs d'un moyen tout simplement formidable pour gâcher un mariage. Vous n'avez qu'à vous mettre, du jour au lendemain, à agir comme si vous étiez devenu supérieur moralement à votre conjoint ou conjointe, et voyez combien ça l'amènera à vous aimer encore plus.

Le monde doit savoir que vous êtes un saint, qui s'élève au-dessus de cette vallée terrestre, réalité qui aurait tout intérêt à se concrétiser en premier lieu à la maison. Ce fait s'applique surtout aux jeunes. Vous empruntez vraiment le chemin de la grandeur qui vous est due si vous vous présentez comme étant «au-dessus» de vos aînés. Commencez par dire simplement que vous ne mangerez pas la cuisine de votre mère parce qu'elle contribue au meurtre d'animaux. Voyez son sourire tomber et son visage s'empourprer. Ensuite, dites à votre père que, peu importe ce qu'il fait pour gagner sa vie, son argent est maculé de sang. Et rappelez à tous les gens du quartier que ce sont des assassins et des impérialistes, et que vous valez mieux qu'eux, ou contentez-vous de l'insinuer en leur servant des expressions faciales trahissant votre dédain.

Oui. Vous pouvez *sentir* la sainteté envahir votre être, n'est-ce pas ? Savourez ce sentiment.

Ça fonctionne presque incroyablement bien pour les gens que vous connaissez depuis fort longtemps. Essayez ça un matin où votre mari sera en train de vous faire un petit déjeuner au bacon, et dites-lui : « Je ne mange pas la chair de créatures vivantes, et tu ne le ferais pas non plus si tu avais une once de décence en toi. »

Ou encore, lorsque votre femme sera en train de s'habiller pour aller travailler, demandez-lui si elle réalise que le rouge à lèvres qu'elle porte a été testé sur de pauvres lapins inoffensifs qu'on a torturés à mort pour qu'elle puisse bien paraître ! Ou bien, si le fils de vos voisins vient de s'enrôler dans l'armée, dites-leur que ce doit être merveilleux d'avoir un enfant qui s'entraîne à aller tuer des innocents à l'étranger.

Ça fait sûrement l'affaire des gens de se faire insulter et de se faire traiter de haut par votre attitude suffisante et vos airs de sainteté. Essayez ça pendant quelque temps, et voyez combien les gens insignifiants vous aimeront et vous adoreront, vous, leur nouveau dieu ou leur nouvelle déesse. Cette seule pensée devrait vous mettre le sourire aux lèvres.

30

Combattez le bon combat...
pour tout

Tous les prétextes sont bons pour se battre. Le sang des Vikings ou des Zoulous ou des guerriers hébreux ou des Cherokees coule dans vos veines. Vous êtes un tueur. Vous êtes un homme ou une femme qui bravera n'importe quoi pour remporter la victoire finale. Et aucun détail n'échappe à votre vision du triomphe. Voilà pourquoi la moindre peccadille est prétexte au combat. La serveuse vous a-t-elle servi votre viande cuite imparfaitement ? Ne vous contentez pas de la lui faire remporter. Criez-lui après – et après le maître d'hôtel aussi. Votre femme a-t-elle fait amidonner vos chemises trop peu plutôt que trop ? *C'est la guerre qu'elle veut !* Réprimandez-la, et poursuivez la blanchisserie en justice – et le plus tôt sera le mieux. Un imbécile vous a-t-il coupé la route au dernier feu ? Ne vous contentez pas de marmonner quelque chose. Sautez hors de votre voiture avec une batte de base-ball et donnez-vous-en à cœur joie. Faites éclater une vraie bagarre.

Les perdants et les poules mouillées tenteront peut-être de vous faire croire que ça ne vaut pas la peine de se quereller. Eh bien, peut-être pas pour eux – ces mauviettes qui ne sont bonnes à rien ! Mais vous êtes fort et endurci, et vous gagnez tout le temps. De plus, votre majesté est d'une telle grandeur que même le moindre affront vaut la peine que vous vous battiez pour l'effacer. Bien des cons et des ballots vous diraient que, si quelqu'un a 99 choses gentilles à dire à votre sujet et un seul avertissement à vous adresser, vous devriez ne tenir aucun compte de ce dernier. *Pas question !* Exigez d'avoir satisfaction. Sortez les pistolets pour un duel. Avoir gain de cause dans les moindres détails est une question de vie ou de mort.

Et, de grâce, ne laissez pas les liens du sang ou de l'amitié vous barrer la route. Si on vous a insulté – ne serait-ce que le moindrement – vous devez vous battre à mort. Votre petite amie vous dit-elle qu'elle « pense souvent à vous au cours de la journée » ? C'est loin de suffire. Elle devrait penser à vous à chaque seconde qui passe. Prenez-vous-en à elle pour ça. Votre patron vous a-t-il dit que vous aviez fait du *bon* boulot dans le projet qu'il vous avait confié ? Pour l'amour

du ciel, qu'est-ce que ça peut bien vouloir dire?
« *Du bon boulot* » ? Ça ne suffit pas. Comment
ose-t-il !

Tenez-vous toujours à l'affût de ce qui vous
tape sur les nerfs et vous contrarie, et vous ne
manquerez certainement pas de le trouver et de
combattre le bon combat. Restez en mode offen-
sif, et tenez-vous toujours prêt à bondir.

Et, pour l'amour du ciel, ne comptez pas le
prix à payer. Évitez, par exemple, de vous demander s'il vaut ou non la peine de perdre votre
emploi pour une offense réelle ou imaginée.
Allez-y, et perdez simplement les pédales. Et
puis quoi si vous perdez votre emploi? Vous
en trouverez un autre. Vaut-il la peine de perdre
l'affection de votre petit ami ou de votre conjoint pour une remarque cavalière? Bien sûr
que si. On ne vous en passera pas une seule –
non, monsieur.

Choisir vos batailles? Diable, non. Pourquoi
choisir, quand vous pouvez les mener *toutes* !

31

Faites les choses comme vous l'entendez

Vous pouvez faire les choses à votre manière, spéciale et unique, peu importe comment les autres les font. Pensez seulement au vieux chanteur de charme Frank Sinatra. Il faisait les choses à sa manière (I did it my way). Vous aussi, vous le pouvez. Il existe peut-être des conventions ridiculement obsolètes, rigides et rasoir qui régissent la manière dont on peut grimper les échelons d'une organisation, ou la nécessité de ne pas prendre de grands airs quand on vient de se joindre à une entreprise ou qu'on vient d'emménager dans un quartier. Ha ! C'est bon pour les autres, ça. Vous n'avez qu'à agir selon ce qui vous passe par la tête. Vous n'êtes pas tenu de vous adapter au reste du monde – le reste du monde est tenu de s'adapter à *vous*.

Est-ce vraiment si complexe ? En fait, supposons que vous viviez à Hollywood. On fait passer des auditions pour un rôle que vous aimeriez réellement décrocher, et on vous appelle. Eh bien, n'arrivez pas à l'heure. Présentez-vous quand vous en aurez envie. Et ne faites pas preuve de respect envers les gens qui vous font passer l'audition. Ils peuvent s'estimer heureux que vous daigniez vous montrer le bout du nez à une réunion de rien du tout. Et surtout, ne soignez pas votre apparence. Contentez-vous de porter vos vielles fringues tout étriquées et laissez vos longs cheveux bien gras vous tomber dans le visage. Ça ne vous ferait pas de tort non plus si vous entriez la cigarette au bec. Ça vous donnerait un air génial.

Si vous êtes aux études et que vous souhaitez bien réussir un cours, ne prêtez aucune attention aux propos du professeur. Ne vous donnez pas même la peine de prendre connaissance des directives pour vos travaux. Agissez à votre guise tout simplement et puis offusquez-vous à outrance si votre prof reçoit votre travail avec une mauvaise attitude.

Vous cherchez un compagnon ou une compagne de vie ? Traitez comme un chien chaque gars ou fille qui croisera votre chemin. Ne parlez que de vous-même et ne vous informez jamais de lui ou d'elle.

Et au boulot, moquez-vous de votre patronne, riez-lui dans le dos et au nez. Les patrons aiment que leurs employés les tournent en ridicule. Et de toute manière, qui se soucie de ce que votre patronne peut bien penser ? Agissez comme vous l'entendez, sans regret ni chagrin.

Le monde entier vous regarde pour être sûr que vous faites les choses à votre manière uniquement. Personne ne s'attend à ce que vous suiviez une routine. L'humanité attend depuis des millénaires la venue de quelqu'un qui sache tenir tête aux autres – et vous êtes le « messie de l'agir à sa guise ». Alléluia !

32

Pensez le pire de tout le monde

Attendez-vous toujours au pire de tout le monde. Et pourquoi pas ? Vous savez qu'en eux-mêmes ce ne sont que des rats et des salauds qui n'attendent que l'occasion de vous en faire baver. Ce sont tous des vipères tapies dans la pelouse à attendre contre toute attente d'avoir la chance de vous liquider ou de s'approcher de vous sans faire de bruit pour vous causer un tort quelconque. Pourquoi donc le leur en donner la possibilité ? Frappez le premier, en les soupçonnant de vous vouloir du mal. Par la suite, vous pourrez facilement justifier votre attitude soupçonneuse, sarcastique, méchante et méfiante. De plus, vous pouvez les insulter, leur mentir et tout faire pour susciter en eux le comportement qui n'attendait que l'occasion de faire surface de toute manière.

Il y a des insensés qui disent que, si vous attendez le meilleur des gens, vous l'obtiendrez souvent. Quel leurre ridicule et infantile. En fait, vous devriez toujours présumer que les gens entretiennent les pires motifs, ne disent jamais la vérité et agiront de manière malhonnête s'ils en ont l'ombre d'une chance. Alors, montrez-vous plus malin qu'eux. *Ne leur donnez pas l'ombre d'une chance.* Restez sur vos gardes, montrez-vous soupçonneux et mettez-vous d'emblée sur la défensive. Ils ne pourront alors pas vous duper en se faisant passer pour bien intentionnés ou généreux ou dignes de confiance. Il arrive que des gens agissent de la sorte pendant des années juste pour vous endormir et vous donner un faux sentiment de sécurité. Ne permettez pas que ça vous arrive. Ne croyez qu'à moitié le bien-fondé de tout comportement qu'on puisse avoir envers vous en érigeant un mur entre l'autre et vous-même, et versez ensuite de l'huile bouillante sur les envahisseurs de votre grand royaume, quels qu'ils soient.

33

Vivez au-dessus de vos moyens

Menez la grande vie. C'est peut-être plus simple que vous ne le pensez – c'est même plus élémentaire que la règle selon laquelle on ne doit pas faire d'économies. *Vous pouvez tout vous permettre simplement parce que vous le voulez.* Si vous le voyez dans une revue, vous le méritez. Si vous avez un ami qui possède une voiture, alors vous méritez aussi d'avoir la même. Si une de vos connaissances vient d'aller à Hawaii, vous devez y aller également. Le fait que vous gagniez x vous donne le droit de dépenser 150 pour cent de x. Le fait que vous n'ayez rien à la banque (et pourquoi diable le devriez-vous ?) ne peut ni ne *doit* vous empêcher d'acheter tout ce que vous voulez. À quoi servent les cartes de crédit ? À quoi servent les achats sans acompte ? Tout ça, c'est pour vous, vous, vous, pour que vous jouissiez de tout ce qui vous chante.

Et, de grâce, ne vous souciez pas de ce que vous n'avez pas l'argent pour payer vos factures. Vous n'avez qu'à faire une demande pour une nouvelle carte de crédit et faire transférer le solde dû sur *cette* autre carte. Ou encore, empruntez l'argent de quelqu'un (mais rappelez-vous de ne pas le rembourser), car si vous voulez mener un certain train de vie, il n'y a aucune raison au monde pour que vous ne le fassiez pas. Soyez dans le vent. Vous le méritez en entier – et le fait que vous ne sachiez trop comment vous allez payer tout ça n'a pas d'importance. Payez-vous-le quand même.

Vous êtes l'Élu, et j'imagine que je vais devoir simplement vous le répéter, parce que vous êtes si rudement modeste. L'Élu sera toujours en mesure de faire apparaître de l'argent à la dernière minute, comme le miracle des pains et des poissons. Lorsqu'il s'agit d'argent, il y a des miracles qui se produisent. Vous pouvez y compter. C'est beaucoup plus réel que l'arithmétique ou les chiffres qui figurent sur la facture d'une carte de crédit.

Alors, allez-y. Menez la grande vie, et ne vous souciez du lendemain… que demain. Le fait est que vous devez dépenser tout à loisir – mais ne faites aucune économie, sinon vous gâcherez tout. Tout se résume à un délicieux sentiment de liberté.

34

Soyez futé

Vous devez avoir le dernier mot, et le monde a besoin de votre ironie. Et ne permettez à personne de doucereux de vous empêcher de distiller votre venin par vos traits d'esprit. Si un insensé vous fait une remarque gentille, bêchez-le en retour par une réplique qui lui coupera le souffle. S'il vous dit aimer votre complet, dites-lui qu'il en aurait bien besoin d'un nouveau. S'il vous complimente sur votre coiffure, dites-lui: «J'aimerais pouvoir en dire autant de la vôtre», puis demandez-lui à quand remonte sa dernière visite chez le coiffeur. Si quelqu'un vous dit admirer votre voiture, répondez-lui que vous espérez qu'il ne vous la volera pas. Ajoutez que, si vous aviez une voiture comme la sienne, vous seriez jaloux également.

Tant qu'à y être, tournez tout à la blague. Tout le monde souhaite que vous les ridiculisiez complètement. Si un Américain vous dit être fier de l'être, rappelez-lui l'esclavage et de-mandez-lui s'il en est fier aussi. Ce faisant, vous accomplirez deux choses : vous remettrez la per-sonne à sa place, en lui montrant à quel point vous êtes futé, et vous lui ferez remarquer du mê-me coup que vous êtes plus saint qu'il ne pourra jamais espérer le devenir.

Si un de vos proches a érigé une jolie statue religieuse devant sa maison, faites-lui une remar-que sarcastique au sujet de la possibilité qu'elle se la soit procurée dans un magasin d'occasions, puis demandez-lui à mi-voix si elle réalise qu'elle « s'oppose » à votre propre religion en l'exhibant. Vous réaliserez ainsi un triple exploit : exprimer votre mépris, couper des ponts *et* montrer à quel point vous êtes malin.

On dit couramment que le héros est celui qui sait prendre une plaisanterie. Non. C'est faux. Pour tout le monde, peut-être, mais pas pour vous. Le monde a besoin d'entendre vos railleries – sur-le-champ et souvent. Les autres devraient se la fermer – surtout lorsqu'ils sont autour de *vous*, mais vous devriez vous sentir entièrement à l'aise d'humilier et de tourner en ridicule tout votre entourage.

35

Chaque fois que possible, dites : « Je vous l'avais bien dit »

Versez du sel sur les blessures. Si quelque chose de regrettable arrive à une de vos connaissances, ne la plaignez pas. Ne vous identifiez pas à elle. Ne partagez pas sa douleur. Dites-lui plutôt : « Je vous l'avais bien dit », et expliquez-lui en quoi vous ne vous seriez jamais fait avoir comme elle s'est fait avoir. Tout le monde a besoin de savoir que leurs erreurs – aussi innocemment ou inévitablement puissent-elles avoir été commises –, *vous* ne les auriez jamais commises parce que vous êtes plus futé qu'eux. Il se peut que la vérité pique les gens un peu au vif, mais ils doivent savoir qu'il existe un être supérieur parmi eux qui ne fait pas le genre d'erreurs qu'ils font. Ça leur fait du bien de l'apprendre. Les gens vous respecteront et vous craindront davantage si vous les faites se sentir vraiment mal dans leur peau. Et le fait de leur dire « Je vous l'avais bien dit » est le meilleur moyen d'accomplir cet exploit.

(Je parie que vous ne pensiez pas pouvoir gâcher votre vie en seulement 35 étapes toutes simples, n'est-ce pas ? Eh bien, je vous l'avais bien dit. Je <u>blague</u> !)

Postface

Eh bien, vous y êtes presque. Si vous avez lu attentivement le présent livre, et si vous avez réfléchi aux moyens de mettre en action toutes les étapes qu'il contient, vous vous rapprochez du but, qui est de « gâcher » votre seule et unique vie. Cependant, il y a encore quelques petites pensées (et une grande) qui vous permettront d'achever votre projet d'autodestruction. D'abord, en toute situation, demandez-vous : « Est-ce que je tiens compte du bien des gens ? Est-ce que je tiens compte de leur point de vue ? » Si vous faites l'un ou l'autre, vous ne gâcherez probablement pas votre vie assez rapidement. Vous devriez vous demander également : « Est-ce que je me comporte ici comme un gros bébé, ou comme un grand ? » Si vous vous comportez le moindrement en adulte, ça veut dire aussi que vous ne vous gâchez pas suffisamment la vie.

La clé du succès dans chaque cas consiste à être obsédé, égoïste et immature. Lorsque vous agissez avec douceur, générosité, prudence ou bon sens, vous loupez probablement complètement le coche et êtes peut-être en train de vous aventurer du côté des règles pour réussir votre vie. Ce serait d'ailleurs une grave erreur.

Bon, soyons justes. Il est tout à fait possible qu'il vous arrive accidentellement de témoigner d'un certain altruisme ou souci dans quelques situations, mais pas si vous vous tenez toujours sur vos gardes. Vous risquez de faire preuve d'empathie si vous oubliez de vous mettre d'emblée sur la défensive en vous méfiant d'autrui. Alors, montrez-vous tout à la fois paresseux et impoli et dépensier, en faisant quelque chose comme utiliser l'argent que vous devriez économiser en vue de vos études pour vous payer de l'alcool et des drogues – mettant ainsi en péril votre avenir, la vie de ceux qui vous entourent et la société en général.

Je terminerai par l'élément le plus important : Ne croyez pas en Dieu. Ou, plus précisément, croyez et sachez en votre for intérieur qu'il *existe* un Dieu – vous-même. Il s'agit ici de la véritable clé de toutes les autres parties du petit guide pratique que vous avec en main. Croyez être la personne la plus importante de la terre, qu'il n'y a que ce que vous faites qui compte, qu'aucune tradition ou loi d'homme ou naturelle ne s'applique à vous, et que ni les mathématiques, ni les lois de la physique, ni la médecine ne s'appliquent à vous. Voilà le moyen assuré de vous gâcher la vie. Croyez pouvoir contrôler la destinée de tous les êtres humains. Croyez pouvoir déterminer ce qui résultera de tout ce qui se produit sur la terre. Croyez que le monde entier est une production cinématographique gigantesque dont vous êtes le directeur. Et sachez que vous êtes le patron, le marionnettiste, qui contrôle le moindre aspect de la vie de chacun : critique en chef, dictateur, censeur et, bien entendu, bénéficiaire et héritier du fruit du travail de tout le monde. Vous êtes une sorte de dieu païen, n'ayant à rendre de comptes à personne. Vous n'êtes pas le dieu de l'amour ou de la compassion. Vous êtes le dieu qui se prélasse en mangeant des raisins que quelqu'un d'autre a pelés, tirant votre plaisir du sacrifice des autres et du fait de ne rien leur devoir en retour.

C'est alors, et seulement alors, que vous comprendrez véritablement qui vous êtes. Et alors, que Dieu vous vienne en aide.

Au sujet de l'auteur

Ben Stein a eu une carrière formidablement diversifiée, à laquelle il continue d'ajouter aujourd'hui. D'abord, précisons qu'il est l'animateur récipiendaire d'un prix Emmy du jeu télévisé *Win Ben Stein's Money*, diffusé sur la chaîne Comedy Central, qui a obtenu sept prix Emmy depuis le début de sa diffusion en 1997.

Stein est né à Washington, D. C., et a grandi à Silver Spring, au Maryland, où il a fréquenté la même école que des gens qui sont devenus célèbres par la suite : Sylvester Stallone, Carl Bernstein, Goldie Hawn et Connie Chung (aucun d'eux n'a lu le présent livre). Stein a eu pour père le renommé Herbert Stein, économiste et commentateur de politiques gouvernementales.

En 1966, Stein obtint son diplôme de premier cycle, avec mention, en économie de l'Université de Columbia. En ce temps-là, il prenait une part active au Mouvement pour la défense des droits civiques, travaillant en plusieurs endroits à obtenir le droit de vote pour les Afro-américains et la reconnaissance par la loi de leur droit à l'égalité. Après ses études, il a travaillé pendant un an comme économiste au ministère du Commerce, pour ensuite obtenir son diplôme de la faculté de droit de Yale en 1970 et être choisi (par ses compagnons de classe) pour prononcer le discours d'adieu. Il a travaillé comme avocat à la défense des droits des pauvres ; avocat plaidant dans des affaires de publicité mensongère ; et professeur traitant du contenu politique et social des productions cinématographiques et télévisées à l'American University de Washington, D. C., à l'Université de l'État de la Californie à Santa Cruz et à la faculté de droit de Pepperdine, où il a enseigné également le droit des valeurs mobilières pendant cinq ans.

En 1973, Stein est devenu rédacteur de discours à la Maison Blanche, d'abord pour Richard Nixon, et ensuite pour Gerald Ford lorsqu'il a accédé à la présidence. Puis, en 1974, Stein est devenu chroniqueur pour le *Wall Street Journal*. En 1976, il a déménagé à Hollywood, où il est devenu scénariste, rédacteur pour la télévision, romancier et chroniqueur syndical. Il a travaillé pour la compagnie de production Norman Lear's Tandem/TAT, où il a contribué à la création de la série fétiche *Fernwood 2Night*. Il est l'auteur de 17 livres, y compris le journal acclamé de sa première année à

Hollywood, *DREEMZ*, soit l'analyse des attitudes politiques d'Hollywood ; *The View from Sunset Boulevard*, qui raconte la toxicomanie et l'ambition à Hollywood ; et *'Ludes*, sur lequel le film *État de choc* a été basé. Il a aussi donné beaucoup de conseils pratiques d'ordre personnel et financier dans le classique *Bunkhouse Logic* ; et on lui doit *Financial Passages*, un guide sur la manière de connaître la réussite économique au fil d'une vie. Plus récemment, Stein a écrit *Tommy and Me*, un livre qui porte sur les épreuves et les triomphes propres à la vie du père d'un jeune garçon.

Stein est l'auteur du canevas du minifeuilleton *Amerika*, sur la chaîne ABC, ainsi que l'auteur du canevas et le producteur du film pour la télévision intitulé *Murder in Mississippi*, portant sur les défenseurs des droits civiques Goodman, Chaney et Schwerner, qui sont morts en martyrs.

Stein a également beaucoup écrit sur la fraude et l'éthique en matière de finance – surtout pour *Barron's*, mais aussi dans *A License to Steal*, un livre portant sur l'affaire Milken/Drexel ; pour un site financier appelé TheStreet.com ; pour la revue *New York* ; et pour le *New York Times Magazine*, parmi d'autres publications.

En 1986, Stein s'est fait «acteur», lorsqu'il a tenu le rôle d'un professeur au ton de voix monocorde dans la comédie classique féti-che *La folle journée de Ferris Bueller*. Il a aussi figuré à maintes reprises pendant trois ans, te-nant encore le rôle d'un professeur, dans *Les années coup de cœur*, de même que dans envi-ron 30 films et feuilletons télévisés.

Stein vit à Beverly Hills, en Californie, avec sa femme, Alexandra ; son fils, Thomas ; ainsi que ses nombreux chiens et chats. Il participe très activement à des campagnes de finance-ment pour la défense des animaux et à des œuvres de charité consacrées à la défense des droits de l'enfant à Los Angeles et partout aux États-Unis.

À paraître – janvier 2005

Table des matières